KB113836

용병들의 대지
Road of Mercenaries

용병들의 대지 7

이모탈 퓨전 판타지 소설

초판 1쇄 찍은 날 § 2016년 12월 19일
초판 1쇄 펴낸 날 § 2016년 12월 26일

지은이 § 이모탈
펴낸이 § 서경석

편집책임 § 배경근

펴낸곳 § 도서출판 청어람
등록번호 § 제387-1999-000006호
등록일자 § 1999. 5. 31
어람번호 § 제1-2586호

주소 § 경기도 부천시 부일로 483번길 40 서경B/D 3F (우) 14640
전화 § 032-656-4452 팩스 § 032-656-4453
http://www.chungeoram.com
E-mail § chungeorambook@daum.net

ISBN 979-11-04-91102-6 04810
ISBN 979-11-04-90905-4 (세트)

이모탈 퓨전 판타지 소설

FUSION FANTASTIC STORY

용병들의 대지

Road of Mercenaries

7

용병들의 대지
Road of Mercenaries

C O N T E N T S

CHAPTER 1
뜻밖의 원군

아론과 그레이.

그리고 아우슈반츠 백작과 그의 큰아들.

그 넷만이 존재하는 공간.

바로 갈릭 대공자의 지휘 막사에 그들만이 조용하게 앉아 있었다. 우선 아우슈반츠 백작과 갈릭 대공자는 아무런 말없이 그저 앞에 놓인 김이 모락모락 나는 차를 마실 뿐이었다. 차를 다 마시기 전에는 절대 입을 열지 않겠다는 듯이 말이다.

딸깍!

그러다 마침내 찻잔을 내려놓은 아우슈반츠 백작이 중후한 목소리로 입을 열었다.

"벌써 20년이 넘었군."

"그렇습니까?"

아론은 그저 단답형으로만 대꾸를 했다. 아무리 아론이 대단한 능력의 소유자라 해도 귀족과 함께하는 자리라면 불편할 수밖에 없었다. 그것도 제이니스 제국 동부 살게라스 산맥과 맞닿고 있는 영지 중 가장 강력한 힘을 가지고 있는 귀족을 말이다.

'게다가 최소 최상급에 올랐군. 마스터가 목전이야. 약간의 깨달음만 있다면 그동안 쌓아온 경험과 함께 단번에 중급 이상의 마스터가 될 수 있을 것 같군. 그리고…….'

그의 시선이 갈릭 대공자에게로 향했다.

차분하고 냉정한 표정을 짓고 있었다. 들려오는 소문과는 전혀 딴판인 모습이었다. 하긴 그에 대한 정보가 없기는 마찬가지였다. 분명 대외적인 활동을 하고 있기는 한데 그에 대해 알려진 정보는 지극히 적었다.

'아비보다 뛰어나다. 최소 마스터 상급.'

아론은 단정적으로 갈릭 대공자의 무력을 평가했다. 아비보다 뛰어난 아들. 그렇지만 대외적으로 잘 알려지지 않은 존재. 그러함에도 불구하고 이 좁은 공간에서 보여주는 대공자의 존재감은 아우슈반츠 백작을 능가하고 있었다.

"자네는 여러모로 뛰어나군."

뜬금없는 말이었다.

과거를 회상하는 듯하다 아론의 표정을 읽고 대화의 중심을 피해갔다. 그만큼 노련하다는 말을 것이다.

"무엇이 말입니까?"

"들어서는 순간 어느새 우리 부자의 상태를 꿰뚫어 보는 것 같군."

"경험이지요."

"글쎄에… 상대방의 상태를 꿰뚫어 보는 것이 능력이라면 능력이겠지만 우리 두 부자의 상태를 단박에 파악할 수 있을 정도의 능력을 가진 자는 지금까지 보지 못했네. 특별한 방법으로 나와 나의 아들은 힘을 숨기고 있거든?"

"바벨의 탑의 물건을 가지고 계신 모양이군요."

그러면서 두 부자가 손목에 장식용처럼 차고 있는 팔찌를 슬쩍 바라보는 아론. 그에 아우슈반츠 백작은 너털웃음을 터뜨렸다.

"허허허. 도무지 숨길 수가 없군."

"그런가요?"

"기꺼운 일이네. 용병 중에 자네와 같은 실력자가 나온 것은 말이네."

"부담스럽지 않습니까?"

"부담? 부담이라… 어쩌면 그럴 수도 있겠지. 하지만 말일세……."

말을 흐리면서 살짝 식어버린 찻잔을 다시 들어 올리는 아우슈반츠 백작. 그런 아우슈반츠 백작을 말없이 바라보는 아론.

"나는 오랫동안 꿈을 가지고 있었네."

"……."

아론은 말없이 듣기만 했다.

"그 꿈이 뭔지 아나?"

"글쎄요. 제 앞에서 그런 말을 한다는 것을 전제로 했을 때 한 가지 떠오르는 것이 있기는 하군요."

"뭔가?"

아론의 말에 흥미롭다는 듯한 눈동자를 한 채 그를 바라보며 물어보는 아우슈반츠 백작.

"용병들만의 세력? 그 정도일 것 같군요."

"아하하하. 좋구나. 좋아."

아론의 말에 박장대소를 하는 아우슈반츠 백작. 아론을 만나서 매우 즐겁다는 표정으로 말이다.

"그런데……."

그의 웃음이 끝나기를 기다리던 아론이 다시 입을 열었다.

"묻고 싶은 것이 있나?"

그에 아론은 고개를 끄덕이며 단도직입적으로 물었다.

"알고 있었습니까?"

"무엇을 말인가?"

"아우슈반츠 백작 가문의 서자이자 행정관으로 있는 그란데 이그니스에 관한 일을 말입니다."

아론의 말에 웃음기가 사라지고 약간은 고통스러운 얼굴을 하고야 만 아우슈반츠 백작. 다시 침묵이 흘렀다. 그러다 아우슈반츠 백작이 먼저 입을 열었다.

"어디까지 알고 있나?"

"그가 혼자서 일을 저지르지는 않았다는 정도까지만 추측할 뿐입니다."

"그런가? 어쨌든 어느 정도 알고 있다는 말이군. 그러면 하나 묻겠네."

"물으십시오."

"자넨가?"

밑도 끝도 없는 물음이었다. 그에 이번에는 아론이 식어버린 찻잔을 들어 올려 한 모금 마신 후 답을 했다.

"맞습니다."

"과연 그렇군."

감탄을 터뜨리는 아우슈반츠 백작이었다.

"왜 용인하셨습니까?"

아론의 질문에 자신도 모르게 손을 들어 볼을 긁적이는 아우슈반츠 백작. 그러다 무거운 한숨을 내쉬며 입을 열었다.

"그란데 이그니스. 두 번째 부인의 아들이네."

그의 말에 아론은 대번에 상황이 머릿속에 그려졌다.

'이건 뭐 삼류 막장 드라마도 아니고…….'

그런 생각을 떠올리며 퍼뜩 정신을 차린 아론. 백두산은 이미 사라졌지만 그가 전해준 지식은 아직도 생생하게 그의 두뇌 속에 남아 활용되고 있었다. 하기는 용병단을 구성하는 구성 자체가 백두산이 전해준 지식에 의한 것이었으니.

'들키지만 않으면 되지 뭐.'

스스로 인정해버리는 아론.

그에게 있어 백두산의 지식이나 옵티머스 고르곤 가이잘라스의 무력 그리고 워딘 행성의 이름 모를 절대자의 공간에 관한 능력은 이미 숨 쉬듯이 존재하고 활용하고 있는 것들이었다. 그것을 억제하려 한다면 오히려 파탄이 날 정도로 말이다.

"자네… 어느 정도 인지하고 있다는 표정이로군."

"대충 짐작이 갑니다. 아마도 가신들은 그를 지지하겠지요. 전처의 소생인 대공자보다는 유력 가문의 부인이 낳은 후계자가 더욱 위신이 서니까요. 게다가… 둘째 부인께서는 독립을

꿈꾸고 계신 모양이군요."

"독립? 독립이라……."

독립이라는 말을 되뇌는 아우슈반츠 백작.

아마도 아론의 말이 맞을 것이다. 둘째의 소생이고 스스로 후계 구도에 관심이 없어서 가문의 이름을 버리고 이그니스라는 성으로 바꿨다고는 하지만 그것을 어찌 곧이곧대로 믿을 수 있을까?

20년이라는 긴 세월동안 귀족 생활을 해왔고, 그 이전에 또한 베테랑 용병으로서 이름을 날리던 아우슈반츠 백작인데 말이다. 아니 어쩌면 처음부터 이런 상황이 만들어질 것이라는 것을 알고 있을지도 몰랐다.

'그래서 큰아들을 자신보다 뛰어나게 키운 것이겠지.'

대충 이해가 갔다.

아마도 가문의 무력을 담당하는 기사들은 전폭적으로 큰아들을 지지할 것이다. 세력적인 면에서는 큰아들이 둘째 아들에 뒤질지 모르지만 이미 실력으로 인정받고 있는 큰아들을 결코 무시할 수 없을 것이다.

'그나저나 복잡하게 되었군. 알고 있으면서도 그대로 방치해야 하는 상황이니 말이야. 그런데 나를 부른 이유가…….'

라고 의심을 하고 있을 무렵 아우슈반츠 백작이 입을 열었다.

"도와주게."

"예?"

"도와주게."

"……."

같은 말을 두 번이나 하는 아우슈반츠 백작. 아론은 그런 아우슈반츠 백작을 뚫어지게 바라봤다.

"왜 접니까?"

"임페리움 용병단에 대해서 알아봤네."

"아……."

그렇다면 이야기가 달라진다. 여느 백작 가문에서 하잘 것 없는 용병단에 대해서 정보를 요구할까? 하지만 아우슈반츠 백작은 돈을 지불하고 정보를 샀다. 그렇다면 아마도 임페리움 용병단과 플람베르 가문과의 인연의 고리를 알고 있을 것이다.

"플람베르 가문은 이 일에 관여하지 않습니다. 전략적인 동맹 관계이기는 하나 이런 일에 나설 정도로 가벼운 위치에 있는 가문이 아니니까 말입니다."

"그것은 나도 알고 있네. 아무리 본 가문이 제이니스 제국의 서부를 이끄는 유력한 가문이라 해도 변방의 가문인 것은 확실하니까 말이네. 하지만 본 작이 원하는 것은 플람베르 가문의 도움이 아니라 자네의 도움이네."

"저를 너무 과대평가하신 것 같습니다만……."

"그런가? 하지만 나는 그렇게 보지 않네."

이미 네가 한 일을 다 알고 있다는 듯이 덤덤하게 말을 받아내는 아우슈반츠 백작.

"물론, 자네가 거절한다고 해도 자네에게 어떠한 해도 가지 않을 것이네. 이것은 명령이 아니라 부탁이니까 말이네."

"크음."

아우슈반츠 백작의 부탁이라는 말에 아론은 나직하게 침음성을 흘릴 수밖에 없었다. 강제성이 없다면 생각해 볼 만한 문제였다. 그리고 크게 본다면 아무리 변방이라 해도 백작가라는 든든한 뒷배경은 자신이 하고자 하는 일에 상당히 든든한 배경이 될 법도 했다.

"왜 저인지는 모르겠으나 일단 들어보겠습니다."

"고맙네."

그러면서 눈을 감는 아우슈반츠 백작. 그리고 그의 곁에 있던 큰아들이 나직하게 입을 열었다.

"아우슈반츠 백작 가문의 기사단장직을 맡고 있는 갈릭 아우슈반츠입니다."

그는 귀족임에도 불구하고 아론에게 경어를 사용했다.

"높임을 사용하는군요."

"나보다 뛰어난 상대 앞에서는 지휘의 고하나 작위의 상하가 없음을 알기 때문입니다."

"그럼 말을 놔도 되겠군."

어떻게 들으면 경을 칠 아론의 말에 갈릭 대공자는 오히려 한결 더 편하다는 듯이 히죽 웃으며 입을 열었다.

"훨씬 좋습니다."

"그런데… 이 모든 것을 자네가 계획한 건가?"

"그건……."

"맞네."

눈을 감고 있던 아우슈반츠 백작의 입이 열리며 아론의 추측을 인정했다.

"뛰어난 아들을 두셨군요."

"팔불출 같지만 맞네. 그래서 더욱더 이 백작 가문을 내 아들에게 물려주고 싶네. 그만한 능력이 있거든."

"그래 보입니다."

아론의 동의에 잔잔하게 웃어 보이는 아우슈반츠 백작. 아들에 대한 신뢰와 믿음이 가득 담긴 웃음이었다. 얼마나 큰아들을 믿고 있는지 보여주는 단적인 예라 할 수 있었다. 하지만 그런 간지러운 말을 들었음에도 불구하고 갈릭 대공자는 별다른 표정을 내비치지 않았다.

"아버지. 피곤하실 텐데 먼저 쉬시지요. 뒷일은 제가 처리하겠습니다."

"그래. 그러자꾸나. 요즘엔 왜 이리 쉬이 피곤해지는 모르겠군."

그 순간 아론의 눈이 빛이 났다.

무언가 발견해 낸 것이다.

'저것은…….'

주의 깊게 살펴보지 않으면 절대 볼 수 없는 것을 아론은 봤고, 마나를 흘려 아우슈반츠 백작의 전신을 빠르게 살펴본 아론.

그리고 한 가지를 깨달을 수 있었다.

'이곳에서도 이것을 볼 줄이야.'

바로 플람베르 가문의 가주를 중독시켰던 독이 이곳에서 발견 되었다. 하지만 아직 정식으로 활동을 시작하지는 않았고, 그저 잠복해 있는 상황. 하지만 마나를 먹고 사는 독충이기에 잠복해 있는 것만으로도 최상급에 이른 기사가 자신의 늙음을 탓할 정도였다.

아우슈반츠 백작의 상태를 확인한 아론은 빠르게 갈릭 대공자의 전신을 훑었다.

'다행히 없군.'

다행이라고 해야 할지 말아야 할지 모르지만 어쨌든 갈릭 대공자의 상태는 깔끔했다. 무표정한 그의 얼굴에는 아버지를 걱정하는 근심이 묻어나 있었다. 아우슈반츠 백작이 자리를 뜨자 그제야 서서히 입을 여는 갈릭 대공자.

"대충 짐작하셨으리라 생각하고 제 생각을 말씀드리겠습니다."

"준비하고 있었던건가?"

"오랫동안 생각만 하고 있었던 것입니다."

"왜 지금에 와서 그 생각을 실천에 옮기려 하는 건가?"

"마땅한 적임자를 찾았기 때문입니다."

"자신의 손에 피를 묻히기 싫어서가 아니고?"

"그런 면도 없지 않아 있습니다. 배다른 형제라고는 하나, 형제는 형제입니다. 그런 동생을 형이 죽인다면 과연 제가 이 백작 가문을 고스란히 물려 받을 수 있겠습니까?"

"냉정하군."

"귀족 세계란 냉정하지 않으면 아무것도 이룰 수 없더군요."

"삭막하군."

"그래도 사람이 사는 곳이라 살만은 합니다."

"언제부터 귀족이 되었나?"

"열여섯 살 때부터입니다."

"알 건 다 알 나이였군."

"그래서 힘을 길렀습니다."

"일견하기에 성공한 것 같기는 하구만."

"하지만 사람을 다룬다는 것은 결코 쉽지 않았습니다."

"배신자 혹은 권력욕이 빠진 자들이 나타난 모양이군."

"그들은 더 큰 것을 원했습니다. 과거의 인연이나 은원 따위는 아무런 상관이 없었습니다."

"권력욕에 사로잡힌 사람은 능히 그러고도 남지."

"그들이 자신들의 발언권을 쉽게 낼 수 없는 제가 아닌 둘째라는 핸디캡을 가진 동생을 택했습니다."

"자금이 필요했을 텐데?"

"처음엔 어머니께서 자금을 동원하셨더군요."

"한계가 있는 법이지. 그래서……."

"결국 손대지 말아야 할 곳까지 손을 대기 시작했고, 그 풍부한 자금으로 저의 주변을 정리하기 시작했습니다."

"더불어 외부의 눈과 군도 동원했겠군."

"현재 파악하기로는 서부의 변경백인 토마스 아게르 후작이 그 배후에 있는 것으로 되어 있습니다."

"그가 배후 중 우두머리가 아니라는 말인가?"

"토마스 아게르 후작은 3황자를 지지하는 귀족파의 수장이자 이 제국의 재상인 라이언 베나비데스 공작에 선을 대고 있습니다."

"복잡하군."

"복잡한 만큼 위험합니다. 하지만 그들을 제거하지 않고서는 본 가문을 바로 세울 수 없습니다."

"그렇긴 한데 도와주면 나에게 뭘 줄 텐가?"

"임페리움 용병단이 하고자 하는 것을 적극 지지할 생각입니다."

"변방의 백작 가문이 지지한다고 해서 달라질 것이 없어보는데?"

"동생의 일을 마무리 지으면 제가 마스터라는 것을 공표할 생각합니다."

"권력으로 중심으로 들어가겠다는 말인가?"

무거운 얼굴로 고개를 끄덕인 갈릭 대공자는 다시 입을 열었다.

"그렇지 않으면 살아남기 힘들 것 같습니다."

"황제파겠군."

"네. 아무래도 그들과 척을 진 상황이기에 어쩔 수 없는 선택일 것 같습니다."

"그에 대한 대책은 세워뒀나?"

"일단 자잘한 상황은 자금으로 무마할 수 있을 것이고, 거기다 현재 은밀하게 황제파와 연결 중에 있습니다."

"시도 중인 것인가? 아니면 어느 정도 성과가 있는 것인가?"

"오늘의 연회가 끝나면 서부의 황제파인 에리히 펠기벨 백작이 방문할 것입니다. 사설 경매 때문이지요."

"사설 경매가 바로 열리는 것인가?"

"그렇습니다."

"괜찮군."

"도와주시겠습니까?"

"그보다 말이야……."

대답을 대신해 말을 흐리는 아론. 그는 갈릭 대공자를 직시하며 입을 열었다.

"혹시 부친의 상태에 대해 알고 있나?"

"상태라면……."

아론의 뜬금없는 질문에 조심스럽게 되묻는 갈릭 대공자. 그는 오늘 처음 아론을 보았다. 하지만 그는 진중한 사람이었다. 결코 헛되이 행보를 결정하지도 않았고, 함부로 인명을 살상하지도 않았다.

또한, 그는 아버지와 함께 용병 생활을 했고, 귀족 생활까지 했다. 그러한 그가 진중해지지 않을 수 없었고, 더불어 그는 마스터에 올라 있으니 어찌 보면 당연한 일이라 할 수 있을지도 몰랐다.

그런 그가 아론의 말을 듣고 뭔가 짚이는 것이 있는지 조심스럽게 되물었다.

"내가 보기에 자네보다 먼저 마스터의 자리에 올랐어야 할 분이더군."

"그렇습니다."

"언제부터였나?"

"그게……."

아직 확실치 않았다. 그럼에도 불구하고 아론은 마치 확신하다는 듯이 입을 열었다. 그래서 망설이고 있었다. 그런 갈릭 대공자의 마음을 이해한다는 듯이 고개를 끄덕이는 아론.

"조사했다니 알겠군. 나와 플람베르 가문과의 관계를."

"예."

"그러면 플람베르 가문에 어떤 일이 있었는지 알겠군."

"자세히는……."

"하긴 그렇겠지."

대외적으로 아니 내부적으로도 플람베르 가문의 가주는 치료 받은 적이 없다. 그저 스스로 병마를 이겨내고 일어난 것뿐이었다.

'그게 아니었다는 것인가?'

갈릭 대공자는 직감적으로 그 안에 어떤 알려지지 않은 사실이 있음을 깨달았다.

"비밀을 감당할 자신이 있나?"

"그건……."

잠시 말을 멈추는 갈릭 대공자.

"이미 시작했잖습니까?"

결론은 그것이었다.

발만 담근 것이 아니라 허리까지 깊숙하게 담그고 있었다.

'이미 돌이키기에는 늦었다.'

그리고 자신은 자신의 눈앞에 있는 아론이라는 용병을 어찌해 볼 수 없다는 것을 직감하고 있었다. 말이나 정보로 알려진 그의 모습은 그저 단편일 뿐이었다. 그를 본 첫 인상은 마치 거대한 산악을 보는 것과 같았다.

그리고 대화를 하면서부터는 끝을 알 수 없는 깊고 깊은 바다와 같은 느낌이 들었다. 그저 보기에 끝이 보일 것 같았음에도 그 끝을 알 수 없었다. 그래서 알 것 같으면서도 대화를 하면 할수록 더욱 알 수 없게 되었다.

그리고 그 깊은 알 수 없는 곳으로 자신이 빠졌음을 알 수 있었다. 발을 뺄 수 있다고 해서 뺄 수 있는 그런 늪이 아니었다.

"그렇군. 그때 당시 플람베르 가문의 가주는 흑염화라는 독충에 감염된 상태였다."

"흑염화?"

"마나를 먹고 사는 기생 식물이지."

"그럼……."

"자네의 부친은 흑염화에 중독되었다는 말이다."

"어떻게… 해야 합니까?"

"원한다면 치료해 줄 수 있지."

그의 말에 그대로 자리에서 일어나 고개를 숙이는 갈릭 대공자.

"부탁드립니다."

"고개 아프니까 앉아. 죽어가는 사람 두고 갈 사람도 아니니까."

"허락해주시는 겁니까?"

"허락은 무슨… 하고자 하면 되는 거지."

"고맙습니다."

"그건 그렇고 아직 확답을 듣지는 못했군."

"어떻게 하면 저를 믿어주시겠습니까?"

"글쎄. 나도 그건 알 수 없군. 우리는 서로 어떤 신뢰를 가지고 있는 것이 아니니 말이야."

"저를 믿지 못한 것이 혹시 이종족 노예 건 때문입니까?"

"사실 그게 가장 큰 원인이라고 할 수 있지."

"역시 그렇군요. 그렇다면 동생의 처분을 아론님께 맡기겠습니다."

"손에 피를 묻히기 싫은 것인가?"

"그런 것도 있습니다."

"숨기지 않는군."

"숨긴다고 숨길 수 있는 것이 아니지 않습니까?"

"오히려 그 점이 더 믿음직스럽군."

"받아들이시는 겁니까?"

"받아들이고 말고가 어디 있나? 나는 원흉을 제거해서 좋고, 자네는 눈엣가시 같은 존재를 제거해서 좋고. 다만 나에 대한 것은 비밀로 해 줬으면 좋겠군."

"왜 그렇습니까?"

"아직까지 그만큼의 세력을 가지지 못했거든."

"플람베르 가문만 연결만 되어도 쉽게 노리지 못할 것입니다."

"쉽게 얻은 것은 쉽게 잃게 되는 법이지."

아론의 답에 믿는다는 듯한 의미심장한 미소를 떠올리는 갈릭 대공자. 자신의 동생을 어떻게 할 것인지 혹은 그를 추종하는 자들을 어떻게 처리할 것인지 묻지 않았다. 그걸 묻는다는 것은 오히려 아론에 대한 모독이라 생각했기 때문일 것이다.

"일단 그전에 자네 부친을 봤으면 하는군."

"알겠습니다."

그 이후로 일사천리였다.

아론의 경우 한 번 처리한 경험이 있는 데다 플람베르 가문의 가주처럼 한창 활동기에 접어든 것이 아니라 아직 잠재되고 있는 상태였기 때문에 훨씬 더 수월하게 처리할 수 있었다. 땀조차 흘리지 않고 말이다.

*　　　*　　　*

"아무래도 문제가 심각합니다."

"문제가 심각하다?"

"그렇습니다."

"어떻게?"

문제를 인식하고 있는 것인지 아닌지 모를 얼굴로 반문하는 자.

바로 아우슈반츠 백작의 두 번째 부인이자 현재 성까지 바꿔 후계 구도에 관심이 없음을 대내외적으로 표명하면서 가신들의 절대적인 지지를 받고 있는 그란데 이그니스였다. 그는 여전히 무표정하고 냉정한 모습으로 심지어는 아무런 감정조차 느껴지지 않는 눈동자로 전면을 응시했다.

그의 앞에는 일곱 명의 기사들이 있었는데 그들 모두 그리 좋은 표정은 절대 아니었다. 그 와중에 유일한 홍일점 기사인 거트루이다 젤러의 경우에는 자신이 섬기는 주군의 표정과 함께 다른 여섯 명의 기사들의 표정 역시 꼼꼼하게 살피고 있었다.

"거트. 자네는 어떻게 생각하나?"

무심하게 물어보는 그란데 이그니스. 그녀는 작게 고개를 끄덕이며 나직하게 입을 열었다.

"내부의 소행은 아닌 듯합니다."

"내부의 소행이 아니라면 외부의 소행이라는 것인데… 그럴 만한 이들이 있나?"

"현재로서는 황제파의 소행이지 않을까 추측할 뿐입니다."

"추측? 확신이 아니라?"

"그렇습니다."

조금은 못마땅한 듯한 목소리를 내는 그란데 이그니스의 모습임에도 불구하고 거트루이다 젤러는 별반 표정이 달라지지 않았다. 그런 그녀를 빤히 직시하던 그란데 이그니스는 나직하게 한숨을 내쉬며 고개를 절래절래 저었다.

"자네가 그렇다면 그런 것이겠지. 이유는?"

"축하연이 끝나고 용병들과 귀족들이 돌아간 후 사설 경매가 있습니다."

"그건 매년 있었던 일 아니던가?"

"이번 사설 경매에는 에리히 펠기벨 백작 역시 참여한다는 것이 문제입니다."

"에리히 펠기벨 백작이라… 그렇다면?"

"대공자가 움직이기 시작한 겁니다."

"실로 교묘하군. 우리에게 시간을 주지 않겠다는 말인가?"

"아무래도 어느 정도 우리의 공작은 눈치챈 듯합니다."

"쯧. 마음에 들지 않는군."

역시나 못마땅한 얼굴이었다.

"그렇다면 얼마 남지 않았다는 말이로군. 아니 이번 기회에 우리를 제거할 생각일지도 모르겠군."

"아마도 그의 생존 본능이 지금의 상황을 이끌어내지 않았을까 합니다."

그녀는 갈릭 대공자를 대공자라 부르지 않고 '그'라고 칭했다. 아우슈반츠 백작 가문의 후계자라고 인정하지 않는다는 것을 의미했다. 아마도 여기 모인 모든 이들은 그를 인정하지 않을 것이다.

그래서 그란데 이그니스를 중심으로 모여든 것일 테니 말이다.

"그래서 어찌할 텐가?"

"완벽하게 준비가 되지는 않았지만 새로운 백작 가문을 만들어야 할 것이라고 생각합니다."

"새로운 백작 가문이라……."

지금까지와는 다르게 처음으로 어떤 감정을 가진 말이 튀어나왔다. 그런 그를 바라보며 거트루이다 젤러는 살짝 눈살을 찌푸렸다.

'너무 차가워.'

과연 그가 아우슈반츠 백작의 소생인지가 의심될 정도였다.

아우슈반츠 백작은 차가운 얼음이기보다는 그 무엇도 강렬한 화산과 같은 뜨거움을 가진 자였다. 그리고 대공자는 얼음장 같은 얼굴을 가장하고 있지만 그 아비를 그대로 빼다 박았다.

그래서 기사들이나 혹은 기사 출신의 귀족들은 대공자를 지지하고 있다. 기사로서 믿고 따를 만하다는 것일 게다. 그만큼 대공자는 정의롭다고 할 수 있었다. 용병 생활을 했기에 평민들의 아픔을 알고, 귀족으로서 노블레스 오블리제를 알았으니 나름 정의롭다고 할 수 있을 것이다.

'하지만 야망이 없다.'

그녀가 대공자를 선택하지 않고, 그란데 이그니스를 선택한 이유가 바로 그것이었다.

'그란데 이그니스.'

그녀의 시선은 냉정하기 그지없어 마치 차가운 얼음을 바로 눈앞에서 보는 것 같은 그란데 이그니스를 바라봤다. 그는 주군으로서 혹은 귀족으로서 조금 모자란 면이 있었다. 모든 면에 있어서 대공자에게 뒤지는 것이 사실이었다.

'욕심 많고, 냉혹하며, 평민을 버러지처럼 여긴다. 그야말로 이 시대 귀족의 표본이라 해도 과언이 아닐 사람이다.'

그럼에도 그를 택한 이유는 그가 그런 사람이기 때문이었다. 욕심은 많으나 능력은 그 욕심을 따르지 못한다. 그렇다고 잔혹하기만 한 것은 아니었다. 버러지는 버러지로 남아야 한다는 것이 그의 생각이고, 그 생각 때문에 그는 오롯한 귀족으로서 고귀함을 가지고 있었다.

한마디로 백작의 가문에 맞는 혈통을 지니고 있다는 것이다. 그리고 그의 어머니 역시 지금은 몰락을 했지만 과거의 영광을 가지고 있었던 이그난투스 백작 가문이었으니 이보다 더 좋은 혈통을 가진 자는 없을 것이다.

어쨌든 이런 저런 이유로 그녀는 대공자를 선택하기보다는 그란데 이그니스를 선택한 것이었다. 깨끗하기보다는 적당히 허영심도 있고, 적당히 잔인하며, 적당히 욕심이 많고, 거기에 더불어 적당한 무력까지 갖추고 있는 상황이니 말이다.

그렇게 해서 그녀는 그란데 이그니스의 참모장의 지위를 완벽하게 꿰차게 되었다. 그가 다른 모든 쟁쟁한 기사들을 제치고 그녀에게 상황을 묻는 이유가 바로 여기 있었다. 그런데 원래 계획했던 것과는 조금은 틀어지고 있었다.

그 중 하나가 바로

'쯧. 자금줄인 노예가 탈출하다니. 어딘가 내가 확인하지 못한 곳에서 정보가 샜음이다.'

천려일실이라고 할까? 그토록 조심했건만 결국 이종족 노예 감호 시설이 발각되었고, 이종족이 모두 탈출한 것이다. 물론, 자주 있는 것도 아니고 지금까지 유지해 오던 중 단 한 번 있는 실수였기에 어렵지 않게 넘어갈 수 있었다.

물론, 그에 상응하는 자금의 손실을 입었지만 일단은 살아남았다는 것이 중요하다.

'살아 있는 한 언제든지 복수를 할 수 있을 테니까 말이다.'

그래서 별로 크게 생각하지 않았다. 어려움은 있을지언정 포기란 없으니 말이다. 하지만 대공자 입장에서 그 노예 감옥에 대한 일이 아우슈반츠 백작에게로 흘러간다면 그것은 문제가 되었다. 그동안 철저하게 그들을 고립시키기 위해 정보를 차단했지만 완벽하지는 않았던 모양이다.

그래서 마음이 다급해졌다. 계획된 거사일이 되기 전에 천려일실의 실수를 저지른 것이었다. 그래서 급하게 회의를 소집했고, 그 소집된 회의에서 그녀는 자신의 의견을 피력했다. 하지만 모두가 그녀를 인정하는 것은 아니었다.

'계집 주제에…….'

'감옥은 어떻게 유야무야 넘어갔겠지만 이번 거사는 다를 것이다.'

'실패한다면 가장 먼저 네년을 사분시키고야 말 것이다.'

물론 그런 그들의 생각을 겉으로 드러낼 정도로 그들은 감정적이지 않다. 처음 아우슈반츠 백작을 주군으로 섬겼으나 그 혈통이 마음에 들지 않아 스스로 그를 배신하고 그란데 이그니스를 선택했다.

귀족으로서, 그리고 기사로서 정말 있을 수 없는 일이었지만 그들은 스스로를 합리화시키고 있었다.

'모든 자리는 정해진 사람이 있는 법이다. 어디 용병을 했던 천한 자가 귀족의 자리에 앉는다는 말인가?'

'천한 놈은 그 기질이 천하기 때문에 귀족이 되지 못한 것이다. 그런 놈이 귀족의 되었다고 해서 어찌 진정한 귀족일 수 있는가?'

'제국의 꼴이 어찌 되려는지. 천한 용병 놈을 백작이라는 대 영주의 자리에 앉혀 놓다니…….'

그들은 그렇게 주장한다. 아우슈반츠 백작의 앞에서는 죽은 듯이 지내고 있지만, 그 내심은 독에 담군 비수를 갈고 있었던 이들이 상당수였다. 벌써 20년이라는 기간을 백작으로 지냈음에도 불구하고 그들은 여전히 그를 인정하지 않고 있었다.

실로 지독한 신분의 벽이라고 할 수 있을 것이다. 그리고 그 신분의 벽을 견고하게 지킬 거사를 실시할 때가 되었다.

"모두 준비는 하고 왔겠지?"

"이를 말입니까?"

일곱 명의 기사 중 으뜸의 실력을 자랑하는 오토 에른스트가 자신감 넘치는 목소리로 입을 열었다. 그에 만족한다는 듯이 희미한 미소를 떠올린 그란데 이그니스는 작게 고개를 끄덕이고 다시 입을 열었다.

"명령을 전할 테니 철저히 준비하고 대기하도록."

"알겠습니다."

그리고 모두 자리에서 일어났다. 그때 그란데 이그니스는 거트루이다 젤러를 불러 세웠다.

"거트 자네는 좀 남아야겠군."

"알겠습니다."

여섯 명이 모두 자리를 비운 후 그 둘은 서로를 마주보고 앉았다. 잠시간의 침묵이 흐른 후 그란데 이그니스가 입을 열었다.

"발동을 시켜봤나?"

"시켜봤습니다."

"그런데?"

"반응이 없습니다. 아니 오히려 모체가 서서히 말라가고 있습니다."

"…누군가 그를 치유한 것이 아닌가?"

"그것… 은 불가능합니다."

"그래. 불가능하지. 그런데 자꾸 그런 생각이 드는군."

"일단, 그들이 돌아온 후 다시 시도해 볼 생각입니다."

"다시 시도한다고 되겠는가?"

"어쩌면 거리가 너무 멀어 제대로 효과를 볼 수 없었을지도 모릅니다."

“하지만 내가 듣기로 거리와는 상관없다고 들었다.”

“그가 잘못 전달했을 수도 있지 않습니까?”

그런 말을 하면서도 거트루이다 젤러는 참으로 한심스러운 변명이라고 생각했다. 절대 있을 수 없는 일인데도 말이다. 하지만 그러면서도 그녀는 천연덕스럽게 그 말을 내뱉고 있었다. 그리고 그런 그녀의 거짓말을 믿고 안도의 한숨을 내쉬는 그란데 이그니스.

“어쨌든 화살은 쏘아진 상황. 반드시 성공해야 하네.”

“물론입니다.”

“그대를 믿네.”

그에 거트루이다 젤러에게 신뢰는 눈빛을 던지는 그란데 이그니스.

“믿으십시오. 믿음을 배반하는 일은 없을 것입니다.”

“그래. 나가보게. 거사는 그가 입성하는 그 순간 이뤄질 테니.”

“알겠습니다.”

말을 마친 그녀가 집무실을 벗어났다. 그에 지금까지 감정의 큰 변화가 없는 모습을 보이던 그란데 이그니스의 눈동자가 시리도록 차갑게 빛나며 그의 입가에는 미묘하기 그지없는 한 줄기 미소가 걸렸다.

“멍청한 년.”

이전의 적당한 모습은 전혀 보이지 않았다. 여전히 냉혹한 표정은 마찬가지였지만 지금의 모습은 그저 표정 하나에 잔혹한 모습이 그대로 보여 지는 듯싶었다.

스스슷!

그때 그의 그림자가 움직이기 시작했다. 누구든 그 모습을 보았다면 대경하고도 남을 모습이었다. 꾸물거리며 움직이던 그림자가 서서히 사람의 형체를 취하다가 마침내 사람의 모습이 되었을 때 그란데 이그니스의 입이 열렸다.

"어떤가?"

"죽었습니다."

"역시 그렇군."

"누군가?"

"알 수 없습니다."

꿈틀.

그림자의 말에 눈썹을 치켜뜨는 그란데 이그니스.

"알 수 없다?"

"그렇습니다."

"별일이로군. 네놈이 파악할 수 없다니. 그럴 수 있던가?"

"……."

그의 물음에 대답을 하지 않는 그림자. 그에 그림자를 슬쩍 바라본 후 비릿한 미소를 떠올리는 그란데 이그니스.

"디아블로라고 했던가? 그치도 별수 없나 보군. 보기에는 상당한 능력을 가진 것 같은데 말이지."

그때 갑자기 그림자가 주욱 길어지며 그란데 이그니스의 목에 대어졌다.

"그분을 모욕하지 마라."

그 순간 그란데 이그니스는 흠칫할 수밖에 없었다. 자신은 디아블로라는 자에 의해 다크 나이트가 된 상태였다. 그래서 다크 블레이드를 사용할 수 있으며, 마스터의 경지를 개척했다. 그러함에도 불구하고 그림자의 검이 자신의 목을 노림을 막을 수 없었다.

그의 목에서는 한 줄기 검붉은 핏물이 느릿하게 흘러내렸다. 하나, 그란데 이그니스는 자신의 당황스러움을 겉으로 드러내지 않았다. 그림자는 자신의 하수인이 아니라 자신을 감시하는 감시자였으니까 말이다.

"내 몸에 두 번 다시 손대지 마라. 그때는 너 역시 존재하지 못할 테니까."

"……."

그림자는 말이 없었다.

어느새 그란데 이그니스의 다크 블레이드가 그림자의 목에 대어져 있었기 때문이었다.

"…나를 죽일 수 있다고 생각하나?"

"못 죽일 것 같나?"

"……."

역시 말이 없었다. 둘의 기세는 팽팽하게 대립하고 있었다.

"그분을 모욕하지 않는다면 나는 너의 충실한 종복일 것이다."

물러서지 않겠다는 그림자. 그 말속에는 인정의 의미를 담고 있었다. 다크 블레이드를 전수해 준 것은 바로 그림자. 하지만 이제는 어느새 대등한 입장이 되어버렸다. 그림자 스스로도 그란데 이그니스를 감당하기에는 그가 너무 커버린 것이다.

그에 그란데 이그니스는 비릿한 미소를 떠올리며 다크 블레이드를 거둬들이며 자리에서 일어나 창문 쪽으로 다가가며 입을 열었다.

"그림자들은 모두 준비되었는가?"

"준비되었다."

"좋아. 그러면 그들이 돌아오는 순간 그림자들 역시 맡은 임무를 수행토록."

"알겠다."

"가도 좋다."

그의 말이 떨어지기 무섭게 그림자는 어느새 그림자 속으로 녹아들어 흔적조차 남기지 않고 사라졌다. 그런데 이그니스는 별다른 반응조차 보이지 않았다. 그리고 나직하게 독백을 했다.

"도대체 너희들이 원하는 것은 무엇이냐. 물론, 나와 뜻이 부합하기에 너희들을 따르고 있기는 하나, 언젠가는 후회하게 해줄 것이다."

*　　　*　　　*

"이대로 백작 성으로 들어간다고?"

"그래."

쉼머해드의 물음에 간단하게 대꾸하는 아론. 그에 심머해드는 알 수 없다는 듯이 입을 열었다.

"왜?"

"의뢰를 받았거든."

"의뢰? 저 종자들에게 말인가?"

이미 쉼머해드는 아론에게 이종족 노예에 대한 일을 들었기 때문에 당연히 백작 가의 사람들을 그리 좋게 보지 않고 있었다. 아니 마치 원수를 대하는 것처럼 그들을 대하고 있었다.

"어쩔 수 없었다고 하더군."

"어쩔 수 없다하여 불의와 타협했다는 말인가? 있을 수 없는 일이네. 내가 알기로 기사는 기사도에 충실해야 하고 귀족은 노블레스 오블리쥬에 충실해야 하네."

"그런 사람을 본 적이 있나?"

"그건… 없군."

무언가 생각하는 듯하더니 이내 체념한 듯한 목소리로 쉼머해드는 대답했다.

"인간의 삶은 이종족의 삶과 다르게 훨씬 더 복잡하다."

"알고 있다."

"이번 일 역시 그런 복잡한 인간의 삶이 개입되어 있다. 거기에 사악한 힘도 개입되어 있지."

"사악한 힘이란……."

"흑마법."

아론의 말에 화들짝 놀라 주변을 둘러보는 쉼머해드.

"그것이 정말인가?"

"내가 거짓말을 할 것 같은가?"

"그건… 아니네만. 믿을 수가 없어서 말이지. 흑마법이 사라진지 언제인데……."

"더 깊은 이야기는 나중에 따로 시간을 내도록 하지."

"이야기 해줄 텐가?"

"이것은 인간의 일만이 아니니까."

"그… 런가?"

확실히 흑마법이면 그럴 만도 했다. 그것은 어쩌면 대륙을 피의 구렁텅이로 빠져들게 할지도 몰랐으니까 말이다. 과거 몇 번 흑마법과 흑마법사들이 나타난 적이 있었다. 그때마다 인간이나 이종족들은 몸살을 앓아야만 했다.

아니, 몸살 정도가 아니라 몇몇 종족은 멸족에 가까운 타격을 입어야만 했다. 그래서 인간이든 이종족이든 흑마법이라면 치를 떨 정도였다. 그러니 쉼머해드의 반응이 전혀 과장된 것은 아니었다.

쉼머해드는 빤히 아론을 바라봤다. 그러다 무거운 한 숨을 내쉬며 입을 열었다.

"사실… 이로군."

"친구에게 거짓말을 하지는 않는다."

"역시……."

"일단 백작 가문의 일을 처리하고 합류할 테니 코카서스에서 기다리도록."

"해결할 수 있는 일인가?"

"아마 어렵지 않을 것이다."

"그렇다면 다행이겠지만……."

"그리고 성공한다면 이종족에게도 좋은 일이다."

"인간 귀족의 비호를 받을 수 있겠지."

"똑똑하군."

"인간 세상에서 무려 60년을 살아왔다. 그 정도는 모르지 않는다."

"알았으니 나중에 보도록 하지."

"그러지."

쉼머해드와 헤어지고, 아론은 다시 백작 가의 일행과 합류했다.

"잘 보냈는가?"

어느새 본래의 신색을 회복한 아우슈반츠 백작이 물어왔다.

"예."

"그런데……."

"묻고 싶은 것이 있으면 물으십시오."

"정말 흑마법인가?"

"그렇습니다."

"자네는 마법사도 아니지 않는가?"

그에 아론은 아우슈반츠 백작을 빤히 바라봤다. 그는 흑염화가 치료되면서 마스터에 올랐다. 한 가문에 두 명의 마스터가 탄생한 것이었다.

"백작님이 보기에 저의 수준은 어느 정도입니까?"

"그건……."

"보통 마스터는 육체적인 변화를 가져오고, 그레이트 마스터는 정신적인 변화를 가져온다 합니다."

"그… 렇지."

"육체적인 변화라는 베이스 코어의 확장을 말함이고 정신적인 변화란 바로 미들 코어의 확장임을 알 것입니다."

"그래."

"그래서 그레이트 마스터에 오른 이들에게 있어서 마법과 검의 경계가 모호해집니다. 때문에 가끔 그레이트 마스터에 오른 자들을 보면 마검사가 종종 모습을 보입니다."

"그 말은……."

"백작님의 생각이 맞을 수도 있고 맞지 않을 수도 있습니다. 다만, 한 가지 분명한 것은 흑염화는 마법사만이 제거할 수 있는 것도 아니라 마나의 컨트롤만 세밀하게 할 수 있다면 그 존재를 감지할 수 있다는 것만 아시면 됩니다."

"그… 렇군."

"그리고 저는 이미 일전에 흑염화에 중독된 이를 한 번 치료한 적이 있습니다."

"그……."

아론의 말에 고개를 끄덕이는 아우슈반츠 백작. 그도 어렴풋이 짐작하고 있었다.

'그렇군. 그래서 플람베르 가문이 신생이라 할 수 있는 임페리움 용병단을 배경이 된 거였어. 아니 어쩌면 그들이 배경이

되는 것이 아니라 이들이 그들의 배경이 될지도 모를 일이지.'

거기까지 생각이 미친 백작은 자신도 모르게 가슴 한 쪽 구석에 뿌듯함이 전염되는 것을 느낄 수 있었다. 자신은 귀족이지만 여전히 자신의 고향이자 뿌리는 용병이라는 것을 잊지 않고 있는 그였다.

자신은 힘이 없어 혹은 실력이 없어 그저 백작이라는 귀족의 자리에 만족하고 꿈을 접었지만 지금 자신과 함께 나란히 걷고 있는 아론이라는 용병은 그 꿈을 가능케 할지도 모른다는 생각이 들었다.

'아니 가능할 것이다. 내 가문의 힘과 플람베르 가문의 힘이라면. 이렇게 차근차근 한 발 한 발 앞으로 내딛다 보면 반드시 그 결과를 보일 수 있을 것이다. 거기에 결정적으로 그를 어찌할 수 있는 이가 과연 존재할지도 의심스러울 지경이니.'

CHAPTER 2

진실 그리고 또 하나의 단서

물론, 가진 바 실력만으로 용병들의 꿈이 이루어지는 것은 아니었다. 하지만 그는 세력을 만들 줄 알았다. 오로지 용병들만으로 모든 것을 해낼 수 없음을 알기 때문이다. 거기에 아우슈반츠 백작은 모르고 있으나 지금 대륙은 거대한 어둠에 점차 물들어 가고 있었다.

그 어둠을 걷어내기 위해서는 필시 시체가 산을 이루고 피가 강을 이루게 될 것이다. 이른 바 난세가 시작된다는 말이다. 난세는 많은 피와 죽음을 원하지만, 또 다른 면으로 용병들에게는 기회를 제공하게 될 것이다.

어쨌든, 아우슈반츠 백작은 지금의 이 상황이 무척이나 기꺼웠다. 그리고 어떻게 해서든지 아론의 행보에 도움을 주고자 새롭게 다짐을 하고 있었다.

"저들이 어떻게 나올 것 같은가?"

"거사를 당기지 않겠습니까?"

"거사를 당긴다는 말은……."

"저들은 아마도 당황했을 겁니다."

"그… 렇겠지."

"순조롭게 흘러가던 상황이 역전되어 왠지 모르게 계획이 틀어졌다는 느낌을 받았을 때 사람들은 대부분 짜증을 내기 마련입니다. 일순간이지만 갑작스레 치미는 화를 자제하기 힘들 수도 있습니다."

"오랫동안 준비해 온 것이네. 그런데 그렇게 단순하게 반응할까?"

"단순하지 않습니다. 자신의 머리를 믿는 만큼 그 실망 역시 크기 때문이지요. 그리고 지금의 상황은 결코 그리 단순한 상황은 아닙니다."

"그건… 그렇군. 그렇다면?"

"우리가 그들의 계획을 모른다고 생각하고, 그들은 우리가 가장 방심했을 때를 노릴 것입니다."

"우리가 가장 방심했을 때란……."

"바로 입성할 때지요."

"으음……."

아우슈반츠 백작은 나직하게 신음을 흘렸다. 아론의 말에 동의하지 않은 것은 아니었다. 백작에게 아론이라는 존재는 자신의 몸속에서 자라나고 있는 흑염화라는 존재를 치료해준 자이기도 한 그이기에 그가 콩을 팥이라고 해도 믿을 정도의 신뢰가 쌓여 있는 정도의 인물이었다.

"준비를 해야겠군."

"아니, 준비할 필요 없습니다."

"아니라니… 왜?"

"준비를 한다는 것 자체가 저들에게 우리가 알고 있다는 것을 알리게 되는 것이니까요."

"아! 그래서……."

지금 현재 아우슈반츠 백작은 분장을 하고 있었다. 아니 분장이 아니라 아예 정교하게 만들어진 마법 면구를 착용하고 있었다. 그저 보기에는 창백해 보이고 언제 죽어도 전혀 다르지 않을 그런 얼굴을 하고 있었다.

그래서 그런지 평소와 다르지 않게 행동하고 있음에도 불구하고 그야말로 쇠약해질 대로 쇠약해진 행동처럼 비춰지고 있었다.

"그렇다는 것은?"

"이곳에 있는 이들이 모두 측근 중에 측근이라 할지라도 백작님의 몸속에 흑염화를 집어넣을 정도로 악랄하고 은밀한 자라면 그 측근 중 몇 명을 자신의 하수인으로 만들 정도의 실력은 충분하지 않겠습니까?"

"그렇군. 그런데 이렇게 말을 해도 되는 건가?"

"걱정하실 필요는 없습니다."

아론의 말에 짐짓 주변을 둘러보는 아우슈반츠 백작과 갈릭 대공자는 하나의 사실을 깨닫게 되었다. 지금까지의 대화를 그 누구도 듣지 못했다는 것을 말이다.

'공간을 차단한 것인가?'

'그레이트 마스터란…….'

너무나도 극명하게 차이가 나고 있었다. 사실 아우슈반츠 백작과 갈릭 대공자가 그레이트 마스터를 대면한 적은 이번이 처음이었다. 소드 마스터조차 황도에 올라야 겨우 볼 수 있을 정도였다.

일반인이라면 평생을 가도 소드 마스터를 보지 못할 정도였다. 말로야 에퀘스의 성역의 몇몇 주인들이 그레이트 마스터에 올라 오랫동안 권좌를 유지하고 있다고는 하지만, 귀족과 에퀘스의 성역, 그리고 바벨의 탑은 서로 불가침의 영역이니 그냥 그렇다는 것만 알 뿐이었다.

그것도 자신이 과거 용병이었기 때문에 접할 수 있었던 것이지 특별하게 제국을 위해 은밀하게 활동하고 있는 이가 아니면 접할 수 없는 사실이라 할 수 있었다. 그저 에퀘스의 성역이나 바벨의 탑을 생각하면 '강하다'라는 단어 하나만 떠올릴 뿐이었다.

그들의 수준이 어떻든 상관없이 그들은 결국 제국의 신민이었기 때문이었다. 아무리 귀족과 관계가 없고, 불가침의 영역을 가지고 있다고 하지만 제국이 힘들어지면 그들은 결국 제국을 위해 힘을 쓸 수밖에 없었다.

그래서 그들은 그레이트 마스터란 존재에 대해서 그들이 가진 힘에 대해서 그저 막연하게 생각할 뿐이었다. 소드 마스터가 이 정도니까 그레이트 마스터는 이 정도쯤 되지 않을까 하고 말이다.

하지만 생각과 실제 보는 것의 괴리감은 그야말로 천양지차였다. 아우슈반츠 백작은 흑염화를 제거하면서 마스터에 올랐고, 그의 아들은 이미 마스터였다. 두 마스터 부자조차도 아론과 그를 따르는 그레이의 모습을 보면 그저 평범하게 느껴질 뿐이었다.

'길을 가다 이들을 보았다면 과연 나는 이들을 그레이트 마스터로 볼 수 있을까?'

절대 그럴 리 없었다.

겉보기에 이들은 그저 평범하기 그지없는 용병 나부랭이에 지나지 않았으니까.

'이렇게나 이렇게 차이가 나는구나. 소드 마스터와 그레이트 마스터의 격차는 그야말로 상상을 초월하는구나.'

그레이트 마스터를 경험하지 않은 소드 마스터들은 모두가 같은 생각일 것이다. 겨우 한 단계이다. 그 한 단계는 그리 크지 않을 것이라고 생각할 것이다. 물론, 소드 마스터에 오를 적의 그 지난함은 그야말로 필설로 형용할 수 없었으나 시간이 지남에 따라 더 이상 오르지 못하고 정체됨에 자신들도 모르게 자만심이 깃들 수밖에 없을 것이다.

그리고 얕잡아 본다.

'그레이트 마스터. 그쯤이야 언제든지 오랫동안 수련을 하다 보면 오르게 될 것이다.'

라고 생각을 한다.

하지만 그들은 좌절할 수밖에 없을 것이다. 도저히 답을 찾을 수도 없고, 언젠가는 오를 거라는 막연한 확신 또한 점점 사라지기 때문이다. 그래서 그들은 외면하며, 스스로 안위하고 만다. '그레이트 마스터쯤이야' 하는 식으로 말이다.

하지만 이 두 부자가 곁에서 지켜본 그레이트 마스터는 결코 안위할 수 있는 그런 수준의 것이 아님이 분명했다.

'우리는 잘못 생각하고 있었다. 그레이트 마스터쯤이 결코 아니다.'

'더욱더 정진해야만 한다. 이곳에서 안주할 수 없음이다.'

두 부자의 머리에 자리한 생각이었다. 그러하기에 스스로 겸허해질 수밖에 없었다. 처음 아우슈반츠 백작은 아론과 그레이에게 존대를 하려 했다. 하지만 그 둘은 극구 만류했다. 사적인 공간과 공적인 공간을 나눈다고는 하지만 인간이라는 것이 칼로 자르듯이 행동할 수 없음을 알기에 애초에 그 가능성을 잘라낸 것이다.

그 가능성이란 바로 실수라는 것이다. 물론, 마스터쯤 되는 사람이 그런 실수를 할 리는 없겠지만 마스터도 인간이다. 또한, 주변에 있는 이들이 모두 이 둘의 측근 중의 측근이라고는 하지만 정보가 그들에게 흘러가고 있다는 것은 그 측근 중에 그들의 하수인이 있다는 말이 되니 평소와 달라진다면 분명 어떤 낌새를 알아차릴 것이고, 경계를 더욱 단단히 하게 될 것이다.

아무래도 세력적인 면에서 아우슈반츠 부자가 뒤지니 이쪽의 실력을 철저하게 가릴 필요가 있었다. 그리고 자신이 따라나선 것 역시 추가 보상을 위한 것이라 연막을 치고 있었다. 그도 그럴 것이 이번 몬스터 토벌 작전은 유례없이 성공적이었기 때문이었다.

용병들에게 상당히 호의적인 아우슈반츠 백작이 그런 용병들 중에서 특출한 성과를 올린 용병단을 그냥 보낼 리가 만무했다. 과거 몇 번이고 이런 경우가 있었으니 별 의심을 사지 않고 아론이 아우슈반츠 백작과 함께 백작의 성으로 향할 수 있었던 것이다.

물론, 백작의 성을 향하는 동안 아론과 아우슈반츠 백작은 철저하게 용병과 귀족의 관계를 유지하고 있었다. 그렇기 때문에 그들에게서는 어떤 의심할 만한 것들이 존재하지 않았고, 그란데 이그니스의 하수인들은 그 상황을 그대로 전했을 것이다.

상대를 완벽하게 기만한 것이다.

이 모든 것이 바로 아론의 머리에서 나온 것이었다.

그래서 아우슈반츠 백작 부자는 겉으로 표현은 하지 않았지만 아론을 새로운 모습으로 바라보고 있었다.

'뛰어난 머리와 강대한 세력, 그리고 스스로 가지는 감히 어찌할 수 없는 무력까지 지니고 있다.'

'그는 모든 것을 가지고 하나씩 추진해 가고 있다. 어쩌면 내 평생 염원이 그에 의해서 이뤄질지도 모를 일이다.'

'이자는 절대 적으로 돌려서는 안 될 인물이다. 만약 적으로 돌린다면……'

거기까지 생각이 미친 갈릭 대공자는 자신도 모르게 등골이 서늘해짐을 느낄 수 있었다. 전장이 되었든, 아니면 전장이 아닌 어디에서 어떤 상황이 되었든 그 상황을 꿰뚫어 보고, 그 상황에 맞게 전술을 이끌어내고 변형시키는 통찰력을 가지고 있음에도 불구하고 강력한 조력자와 무력을 가지고 있다.

더 이상 무엇이 필요하겠는가? 그저 일개 용병단의 단장이라고 보기에는 그의 일거수일투족이 그리 간단하지 않았다. 어쨌든 아우슈반츠 백작 부자는 아론을 철석같이 신뢰하게 되었고, 백작의 성이 가까워짐에 따라 점점 긴장감을 가지게 되었다.

그럴 수밖에 없는 것이 질적인 면에서는 비등하게만 수적인 열세를 뒤집기에는 그리 쉽지 않았기 때문이었다. 그란데 이그니스를 따르는 일곱 명의 지지자들은 백작 령의 사람들 중 가장 강대한 세력을 지닌 자들이었다.

백작 령의 군세 중 절반 이상을 담당하는 그들이 그란데 이그니스를 지지하고 있었고, 거기에 이그난투스 백작 가문까지 더해진다면 백작령에서 그들을 몰아낸다 하더라도 결코 쉽지 않을 것임은 분명했다.

하지만 왠지 그리 어려울 것 같은 느낌은 들지 않았다. 바로 자신들의 든든한 조력자가 있기 때문이었다. 그에 아우슈반츠 백작은 아론을 불렀고, 아론은 그에게 용병으로서 그에게 귀족의 예를 올렸다.

"시작하는 것이 좋겠군."

"알겠습니다."

밑도 끝도 없는 말이었다. 하지만 사전에 둘은 어떤 교감이 있었던 탓인지 단번에 그 의미를 알아차리고 답을 하고 있었다. 그에 그 둘의 대화를 듣고 있던 갈릭 대공자가 몸을 돌려 기사단이 있는 곳으로 향했다.

아론 역시 곧바로 용병들이 있는 곳으로 돌아갔다. 하지만 별다른 움직임은 보이지 않았다. 단지 용병들의 움직임이 조금 더 부산해졌다는 느낌이 들 뿐이었다. 그런 움직임을 예의 주시하고 있는 자가 있었으니 바로 아우슈반츠 백작의 오른팔로 알려진 덱스터 모건 남작이었다.

그는 원래 근위 기사단의 일원이었다. 그것도 촉망받는 기사였다. 그런 그가 이런 변방의 백작령에 내려오게 된 것은 바로 그의 오랜 절친이자 동료인 질레스 라이스의 계략에 의한 것이었다.

그 이후 질레스 라이스는 승승장구하여 근위 기사단의 부단장의 자리를 꿰차고 있었고, 자신은 그 뿌리도 알지 못하는 변방의 용병 출신 백작의 오른팔로서 겨우 남작의 자리에 있었으니, 겉보기와 다르게 그의 내심은 그야말로 용암처럼 들끓어 오르고 있었다.

'천한 용병 놈 주제에……'

그는 20년간 충실하게 아우슈반츠 백작의 오른팔로서 역할을 했다. 그 누구도 그가 아우슈반츠 백작을 배신할 것이라고 생각하지는 않았다. 무려 20년을 아우슈반츠 백작의 충실한 개로서 살았으니 어쩌면 당연한 것일 게다.

그런 그가 백작의 성에 당도하기 하루 전, 숙영지를 마련하는 아우슈반츠 백작을 보며 서늘한 미소를 한 번 떠올린 후 이미 세워진 자신의 막사로 향했다.

"가서 모랄레스를 불러오게."

"알겠습니다."

막사로 들어가기 전 그는 한 명의 마법사를 호출했다. 그도 그럴 것이 모랄레스 하이든은 전투 마법사로서 기사단에 배속된 마법사였다. 거기에 기사단의 부단장이 그를 호출했으니 별로 의심을 살 일도 아님은 분명했다.

헬름을 벗어 탁자에 올리고 의자에 앉아 잠시 눈을 감고 있던 그가 눈을 떴을 때, 마침 모랄레스 하이든이 막사에 들어서고 있었다.

"어서 오게."

"어인 일로 부르셨습니까?"

"보고는?"

"걱정하실 필요는 없습니다."

"그래. 그건 그렇고 얼마 남지 않았군."

모건 남작의 말에 살짝 입술 꼬리를 말아 올리며 동의하는 모랄레스.

"다 모건 남작님께서 힘써 주신 덕분이지 않겠습니까?"

"나 때문이라… 입에 발린 말이라고는 하지만 듣기는 좋군."

"사실이기 때문일 겁니다."

"그대는 마법 실력보다 말솜씨가 훨씬 뛰어난 것 같군."

하지만 모랄레스 하이든은 별로 기분 나쁜 표정을 짓지 않았다. 이 정도쯤은 모욕의 축에 끼이지도 않고, 실제 별로 기분이 나쁜 말이 아니라 칭찬으로 들었으니 말이다.

"앉게."

"고맙습니다."

"한잔하겠나?"

"주시면."

하이든의 대답에 모건 남작은 독한 럼을 잔에 부어 앞으로 내민 후 잔을 들어 올렸고, 모랄레스 하이든 역시 잔을 들어 올린 후 단숨에 입속으로 털어 넣었다.

"크으~ 실로 오랜 기간이었다."

"크음. 그렇습니까?"

"20년이네. 내가 절치부심한지 말이네."

"오래되었군요."

"모르고 있었나?"

"알고 있었습니다."

"그런데도 처음 듣는 것처럼 말을 하는군."

"남작님의 괴로운 삶이지 않습니까? 하고, 저는 그 괴로운 삶을 듣는 것을 싫어하지 않습니다."

"좋은 자세로군."

"그렇게 보아 주신다니 고맙습니다."

너무나도 덤덤하게 자신의 핀잔을 받아 넘겨 버리는 모랄레스 하이든의 모습을 보고는 피식 웃어버렸다. 그러다 의자에 등을 기대며 막사의 천정을 바라봤다.

"이제 그 끝이 다가오는군."

"겨우 한 걸음 떼었을 뿐입니다."

"한 걸음?"

"한 명 더 있잖습니까?"

"그래. 그렇지. 한 명 더 있었지. 바로 질레스 라이스."

"그렇습니다."

"고맙군."

"제가 해야 할 일이었습니다."

"그런가? 어쨌든 준비는 다 마쳤나?"

"이미 완료된 지 오래입니다. 내일 입성하게 되면 아우슈반츠 백작 부자는 이 세상에 존재하지 않은 고혼이 될 것입니다."

"그 뒷일은?"

"아시지 않습니까? 이미 아게르 후작 각하께서 손을 쓰셨다는 것을 말입니다."

"후우~ 그렇지. 그런데 왠지 불안하군."

"아마도 20년의 원대한 꿈이 현실로 다가왔기 때문일 것입니다."

"그런가? 그럴 수도 있겠군. 어쨌든 내가 해야 할 일은……."

"기사단의 시선을 돌리는 일입니다."

"그래. 그렇지. 알겠네."

"그럼 이만."

"그리고……."

말을 마치고 일어나려는 모랄레스 하이든을 붙잡으며 입을 여는 모건 남작. 그에 엉거주춤하게 그를 바라보는 모랄레스 하이든.

"푸념을 들어줘서 고맙네."

그의 말에 슬쩍 입술 꼬리를 말아 올리는 모랄레스 하이든. 별말을 다 한다는 듯한 표정이었다.

"편히 쉬시길."

그리고 그 말을 남긴 채 막사를 벗어났다. 그런 모랄레스 하이든의 뒷모습을 바라보는 모건 남작. 하나, 그의 얼굴은 별로 편안해 보이지 않았다.

"후우~"

길고 답답한 한숨이 그의 입에서 흘러나왔다. 그때 막사의 문이 열리며 다시 두 명의 사내가 안으로 들어섰다. 그 순간 모건 남작은 자리에서 일어나 그 둘을 맞이했다.

"이 시각에 어쩐 일로……."

바로 아우슈반츠 백작 부자였다.

평소였다면 반가운 표정으로 혹은 살가운 표정이었을 둘의 표정이었으나 지금 이 순간 둘의 표정은 딱딱하게 굳어져, 마치 돌덩이를 바라보는 것 같았다. 순간 덱스터 모건 남작은 불길한 감각이 전신을 감싸 도는 것을 느꼈다.

그때 아우슈반츠 백작은 말없이 그의 맞은편에 털썩 주저앉아 그가 마시고 있던 럼 잔을 들어 자신의 입에 털어 넣으며 신음조차 삼킨 채 입을 열었다.

"자네를 믿었네."

"그게 무슨……."

무슨 말인지 몰라 되묻는 모건 남작.

"왜 그랬나? 내가 자네를 그리 쉬이 대하지 않았건만… 그것만으로도 부족했던가?"

"……."

그에 말없이 아우슈반츠 백작을 바라보던 모건 남작은 자신의 검을 탁자 위에 올려놓은 후 입을 열었다.

"어떻게 알았소."

평소와는 다른 목소리로 자신의 주군을 대하는 모건 남작이었다. 하나, 그의 목소리는 담담하기 그지없었다. 그의 담담함이란 바로 폭풍이 불어오기 전의 고요와도 같았다.

"어떻게 알았느냐가 중요한 것이 아니지. 내 질문은 20년의 신뢰를 이리도 허망하게 저버릴 수 있느냐는 것이지."

"나는… 애초에 버러지 같은 용병들을 같은 귀족으로 치지 않는다."

"하~ 버러지?"

"용병이 버러지나 비렁뱅이가 아니면 무엇인가?"

"대~ 단하군."

"……?"

"그동안 어떻게 그 마음을 숨겨왔던가? 버러지나 비렁뱅이의 발이나 핥으면서 말이야."

"꿈이 있기 때문이지."

"그래. 그 꿈이 바로 나를 죽이는 것인가?"

"그것은 그저 지나가는 길일 뿐이다. 어찌 기사로서 겨우 용병 나부랭이를 지우는 것이 목적일 수 있을까?"

"구제불능이로군."

"큭! 버러지 같은 놈들."

그러면서 그는 검을 잡아갔다.

아우슈반츠 백작 부자는 그가 검을 잡아가는 것을 그저 바라볼 뿐이었다. 그리고 검을 잡은 모건 남작은 기괴한 웃음을 떠올리며 입을 열었다.

"시기가 조금 빠르지만 그래도 상관은 없을 게야."

그가 검을 휘둘렀다.

20여 년 전 익스퍼트 하급이었던 그는 부단한 노력 끝에 익스퍼트 상급에 올랐다. 그리고 자신이 알기로는 아우슈반츠 백작 부자는 결코 자신을 뛰어넘을 수 없었다. 그래서 그는 확신했다. 두 부자의 목을 자신의 검으로 벨 수 있다고 말이다.

쉬이익!

검을 휘둘렀다.

카아앙!

그리고 부딪쳤다.

그 순간 모건 남작의 얼굴은 딱딱하게 굳어졌다. 도저히 있을 수 없는 일이 일어났기 때문이었다.

"어떻게……."

"세상을 속이는 것은 너만이 아니야."

그때 서 있던 갈릭 대공자가 입을 열었다. 지금 이 순간 그의 심장은 싸늘하게 식어 있었다. 그것은 형언할 수조차 없을 정도의 지독한 배신감 때문이었다. 어렸을 때부터 보아온 기사였다. 그 기사가 자신과 아버지를 속이고 기만했다.

"네… 놈."

무언가 말을 하려던 모건 남작.

"크아아악!"

하지만 그는 그 말을 내뱉지 못했다. 어느새 갈릭 대공자의 검이 그의 어깨를 자르고 지나갔기 때문이었다. 어깨에서 전해지는 화끈한 통증에 정신을 차리지 못하는 모건 남작. 그는 잘려 나간 어깨를 부여잡으며 경악에 찬 얼굴로 외쳤다.

"이, 이건… 하지만 어떻게……."

횡설수설하는 모건 남작.

그런 그를 냉정하게 바라보며 느릿하게 입을 여는 갈릭 대공자.

"아버지께 흑염화를 심은 것은 라이스 전투 마법사인가?"

"헉! 그, 그것을 어떻게."

"그동안의 정리를 생각해 깔끔하게 죽여주마."

그러면서 검을 수평으로 그었다.

스걱.

모건 남작의 목에 가느다란 혈선이 생겨났다. 그리고 기우뚱하면서 모로 쓰러졌고, 뒤늦게 목이 분리되었다.

팅! 털썩!

무표정하게 모건 남작의 목을 가차 없이 베어버린 갈릭 대공자가 검을 놓치고 소리가 나도록 무릎을 꿇었다. 그리고 두 손으로 얼굴을 가리며 끅끅거렸다. 20년을 같이한 사람이었다. 그것도 자신에게 검의 기본을 알려 준 사람이고 말이다.

극한으로 감정을 절제하고 있었지만 그를 베는 순간 그 억눌린 감정이 모두 한꺼번에 폭발하는 것 같았다. 그때 말없이 럼이 담긴 병을 통째로 마시고 있던 아우슈반츠 백작이 자리에서 일어나 그의 어깨를 어루만졌다.

하지만 갈릭 대공자는 고개를 돌리지 않았다. 애써 자신의 감정을 추스르고 있는 것이었다. 그것을 모를 리 없는 아우슈반츠 백작. 그는 조용히 갈릭 대공자를 남겨둔 채 자리를 벗어났다.

"끝났습니까?"

"그러하네."

그러자 아론의 뒤에 있던 그레이가 백작의 앞으로 무언가를 툭 던졌다. 백작은 여전히 편치 않은 얼굴로 자신의 발치 아래 떨어진 머리를 바라봤다. 바로 모랄레스 하이든이라는 전투 마법사의 목이었다.

"이젠 다 된 건가?"

"그저 준비가 끝났을 뿐입니다."

"준비 한번 살벌하군."

준비가 끝났다는 아론의 말에 약간의 여유가 생긴 것일까?

반은 농담과 같은 말이 그의 입에서 흘러나왔다. 그때 막사의 문이 열리면서 마음을 추스린 듯 보이는 갈릭 대공자가 모습을 보였다.

비록 짧은 시간이었지만 상당한 감정의 폭발로 인해 상당히 초췌한 모습을 보이는 갈릭 대공자였다. 소드 마스터에 오른 이후 좀처럼 가질 수 없는 감정의 폭발일 것이다. 그것도 극에 달한 슬픔 말이다.

특히나 감정을 억누르고 좀처럼 그 감정을 내비치지 않는 갈릭 대공자로서는 실로 견디기 힘든 감정의 폭발일 것이다. 하지만 중요한 것은 그것이 아니었다.

'한 단계 더 성장했군.'

이전이었다면 마스터 상급 정도였으나 지금은 최상급에 올라 있었다. 바로 그레이트 마스터가 목전이라는 것일 게다. 그것을 아는 것일까? 어느새 침착함을 되찾은 갈릭 대공자였다.

"괜찮은 거냐?"

"조금은……."

백작의 물음에 단답형으로 답을 하는 갈릭 대공자. 부자 사이라는 것이 그렇다. 어머니를 대하듯 살갑지는 않지만 그 무덤덤한 표현 속에 진한 감정의 선이 오고 간다는 것이다. 물론, 생물학적으로 아들은 독립을 해야 하기 때문에 어느 정도 아버지와 적대 관계에 놓일 것이지만 백작 부자의 경우는 조금 특이하다 할 수 있었다.

갈릭 대공자가 어렸을 적에 이미 어머니를 잃고, 백작의 손에서 자라왔기에 대립의 구조보다는 서로의 공간을 인지하고 위치를 인정하는 관계가 성립될 가능성이 컸다. 물론, 이것은 아론의 머릿속에만 존재하는 생각일 뿐이었다.

"축하한다."

아론의 말에 눈살을 찌푸리는 갈릭 대공자. 자신의 지인이 죽었다. 아니 스스로의 손으로 죽였다. 그럼에도 불구하고 아론이라는 자는 자신에게 축하한다는 말을 하고 있었다.

'무슨…….'

그 순간 갈릭 대공자는 뭔가 이상하다는 생각이 들었다. 며칠 보지는 않았지만 아론이라는 자의 인간됨을 너무나 잘 알고 있었기 때문이었다. 상갓집에서 고주망태가 되어 노래를 부르며 행패를 부릴 자는 절대 아니었다.

'그러고 보니…….'

마나의 수발이 조금 더 수월해졌다.

'감정의 폭발…….'

문득 자신의 조금 전 상태를 떠올려 봤다. 마스터에 오른 이후 단 한 번도 일어나지 않았던 감정이었다. 언제나 이성적으로 행동했고, 그것이 당연하다고 여기고 있었다. 그런데 조금 전에는 아니었다.

감정이 폭발했고, 스스로 절제하지 않았다. 절제하지 않은 자신의 마음은 어디로 흘러가는 것일까? 그리고 그 종착은 어떻게 되는 것일까? 수없이 많은 의문과 답이 거침없이 그의 머리를 스치고 지나갔고, 그는 깨달을 수 있었다.

'목전이구나.'

그제야 알았다. 그리고 새삼스럽게 아론이라는 용병을 바라봤다. 물론, 그의 실력이 뛰어나기에 자신보다 선배 대접을 해줬다. 어쨌든 마스터에 오른 자라면 작위나 직위로 따지는 것이 아닌 누가 먼저 마스터에 올랐느냐에 따라 선, 후배를 따지는 것이 전통처럼 이어져 왔으니까 말이다.

그런 면에서 자신이나 자신의 부친이나 모두 이 아론이라는 용병의 후배인 셈이었다. 물론, 같은 마스터라면 그렇다는 이야기다. 하지만 한 단계의 윗줄에 있는 수준이라면 그것은 조금 다르다.

선, 후배가 아니라 사제의 관계가 될 수 있으니 말이다. 왜냐하면 더 높은 경지에 오른 자가 그저 흐르듯이 한마디 한 것으로 단서를 잡아 벽을 허물 수 있음이니 그것은 가르침이었기 때문이다.

왜 그런 흘러가는 한마디가 가르침이 될까? 마스터에 오름에도 왜 하급이고, 중급이고 상급이고 최상급이라는 층이 생겼을까? 그것은 바로 마스터 내에서도 아주 작은 깨달음으로 그 실력이 천차만별로 다를 수 있기 때문이었다.

그만큼 다음 단계로 넘어가기가 힘들다는 것을 의미한다. 하지만 그것은 같은 마스터 내에서의 관계이므로 선, 후배라는 말이 맞을 것이다. 하나, 소드 마스터와 그레이트 마스터는 또 다르다.

소드 마스터에 오를 때와 그레이트 마스터에 오를 때 허무는 벽이 다르기 때문이었다. 아무리 고대 문헌을 뒤져봐도 소드 마스터에서 그레이트 마스터에 오를 때의 수련법이나 벽을 넘는 법을 찾는다 해도 그 답은 없었다.

너무나도 형이상학적인 언어와 단어로 되어 있었기 때문이었다. 한마디로 뜬구름 같은 소리라는 것을 그 뜬구름을 현실과 이어주고 현실이 되도록 만들어 주는 것이 바로 스승이지 않겠는가?

그래서 사제 관계라 할 수 있는 것이었다.

그러한 이유로 갈릭 대공자는 아론을 보며 조심스럽게 고개를 숙일 수 있었다. 아론의 말 속에 숨겨진 뜻을 알아챈 아우슈반츠 백작의 얼굴은 만면에 흐뭇한 미소를 떠올릴 수밖에 없었다.

제국에 몇 없는 그레이트 마스터의 경지에 자신의 아들이 한 발자국 내디디려 하니 어찌 기쁘지 않을 손가? 어쨌든 비극과 희극이 교차하는 밤이 서서히 지나가고 있었다. 어느새 어둠이 더욱 어두워지고, 그 어둠이 물러나며 어슴프레 날이 밝아 오고 있었다.

그들은 고개를 들어 밝아 오는 날을 바라봤다.

"날이 밝아오는군."

"이제 두 번째의 막이 오르는군요."

"그런가? 그런데 말이지……."

"하고 싶은 말이 있습니까?"

"우리… 친구이지 않나?"

"친구입니까?"

"나이도 비슷해 보이는데 스승이라고 하기에는 내 지위가 있고, 그래도 사회적 지위와 체면이 있는데 동년배의 스승을 둔다는 것이 조금 그래서 말이네."

"그러지."

그에 아우슈반츠 백작의 얼굴이 환해졌다. 이것이 벌써 세 번째의 권유였다. 그 이전부터 스승 혹은 선배로서 대접하겠다는 말을 했으나 한사코 거절했던 아론이었다. 그런데 이쯤 해서 다시 한 번 찔러 보니 바로 허락했다.

스승이나 선배가 아닌 친구로서 말이다. 어쩌면 아론은 처음부터 이것을 염두 해 두고 있었는지 모른다. 수직적인 관계보다는 수평적인 관계. 그것을 원했을지도 몰랐다.

"인사해라. 아버지의 친구인 아론이다."

"어르신을 뵙습니다."

어르신이라는 말에 아론은 슬쩍 어색한 표정을 지어보였다. 하지만 갈릭 대공자의 말이 맞았다. 보통 통념상 어르신이라 함은 나이 드신 분을 일컫는데 사전적인 의미로는 아버지의 친구 분을 높여 부르는 말이 바로 어르신이었으니까 말이다.

갈릭 대공자는 그런 사전적인 의미를 너무나도 잘 알고 아론을 부르는 것이었다. 사실 갈릭 대공자만큼이나 젊어 보이는 아론이었다. 물론, 아우슈반츠 백작 역시 흑염화를 제거하면서 젊어지는 했지만 말이다.

어쨌든 아우슈반츠 백작과 친구가 됨으로서 순식간에 호칭에 대한 것은 정리가 되어버렸다. 조금은 어색한 정리이기는 했지만 말이다.

*　　*　　*

"드디어 오늘인가?"

"그렇습니다."

"언제 도착한다던가?"

"9시쯤이라고 들었습니다."

"일찍 출발하는 모양이로군."

"몬스터 토벌이 그리 쉬운 것도 아니지만 오래 집을 떠나 있으면 집이 그리운 법이니까요."

"그렇겠지. 그래서 준비는?"

"완벽합니다."

"좋군. 그 이후 통신은?"

"될 수 있으면 통신을 삼가라 했습니다."

"하긴 겨우 하루니 조심해야 하겠지."

"그렇습니다."

"병사들을 배불리 먹이게."

"알겠습니다."

대화를 마친 거트루이다 젤러가 집무실을 나갔고, 그란데 이그니스는 잠시 창밖을 내다본 후 이내 집무실을 벗어나 한 방향으로 걸음을 옮겼다. 마법적인 처리로 인해 사시사철 장미가 피어 있는 장미의 정원이 있는 곳.

바로 자신의 어머니가 있는 곳이었다.

"오~ 어서 오려무나~"

아직 젊은 아우슈반츠 백작 부인이 아들을 맞이하고 있었다. 그녀는 고풍스럽게 만들어진 흔들의자에 앉아 차를 마시며 장미의 정원을 가득 채운 장미를 감상하고 있었다. 꽤 이른 시간임에도 불구하고 그녀는 흐트러짐 하나 없이 정갈한 모습이었다.

"일찍 기침하셨습니다."

"날이 날이지 않느냐?"

"기대되십니까?"

"25년이라는 길고 긴 시간의 고난에 대한 보상의 시간이지 않느냐?"

"그렇기는 하군요."

"그래 준비는 어떻더냐?"

"본가에서 보내준 가병과 저를 따르는 가신들입니다. 한 치의 오차도 있을 수 없습니다."

"그래. 그래야지. 너는 이그난투스 백작 가문과 아우슈반츠 백작 가문을 이을 진정한 적통이지 않느냐?"

"물론입니다."

"언제쯤 시작할 것이냐?"

"오전 9시쯤입니다."

"기대되는구나."

"저 또한 그렇습니다."

"부디 승전하기를 바란다."

"만약은 없을 것입니다."

"그럼, 누구 아들인데 만약이 있을 수 있겠느냐. 이 어미는 너를 믿는다."

"믿으십시오."

그리고 고개를 살짝 숙여 보이는 그란데 이그니스. 그에 아우슈반츠 백작 부인은 그를 바라보지도 않은 채 차를 마실 뿐이었다. 그런 그녀를 잠시 바라보던 그란데 이그니스는 말없이 돌아서 그녀가 있던 곳을 나왔다.

그가 밖으로 나왔을 때 기사 한 명이 다가와 그의 어깨에 망토를 둘러 줬다.

"준비는?"

"완벽합니다."

"출진한다."

그의 명령이 떨어지자 그의 뒤를 따라 움직였다. 그 순간 거대한 백작 성의 문이 서서히 내려지고 있었다.

그그그그극!

기괴한 마찰음을 내며 내려지고 있는 거대한 도개교. 그 모습을 바라보는 아우슈반츠 백작과 갈릭 대공자. 그리고 나갈 때와는 전혀 다른 두 명의 인물과 2천이 용병들이 보였다.

"백작과 나란히 서 있는 자. 저 자가 용병 단장인가?"

"그렇게 알고 있습니다."

"흐음."

"이상하군요."

그란데 이그니스보다 먼저 거트루이다 젤러가 의구심을 제기했다.

"확실히… 하지만 이미 판은 벌어졌다. 예정대로 시행하도록."

"알겠습니다."

지금에 와서 계획을 변경할 수는 없었다. 아무리 이상해도 용병단 정도로는 지금의 상황을 반전시킬 수는 없음을 너무도 잘 알고 있었다.

"추웅! 복귀를 환영합니다."

"음, 고생하는군. 한데……."

그러면서 전면을 바라보는 아우슈반츠 백작.

"이번 몬스터 토벌전은 유례없을 정도로 성공적이라 들었습니다."

"그런데 조금 과한 면이 있군."

"어차피 사설 경매가 있을 것이니 이참에 백작 각하께 잘 보이고 싶은 것을 겝니다."

"그런가?"

그러면서 자신을 마중 나온 그란데 이그니스를 바라봤다. 자신의 아들이지만 정이 가지 않는다. 아니 정확하게는 무려 10년 이상을 자신의 목을 조이고 있는 존재라고 할 수 있었다. 물론, 그 시작은 자의가 아니었겠으나 시간이 흐를수록 점점 스스로의 의지가 되더니 지금에 와서는 그 누구보다 적극적이게 되었을 것이다.

"준비를 많이 했나 보군."

"조금 했습니다."

"그래? 그럼 한 번 거닐어 보는 것도 나쁘지 않겠군."

그런 백작의 모습에 그란데 이그니스는 서늘한 미소를 떠올렸다. 그런 그의 곁을 지나가면서 갈릭 대공자는 나직하게 입을 열었다.

"수고했다."

"당연히 해야 할 일이었습니다."

"그런가?"

왠지 뭔가 있는 듯한 그의 말에 그란데 이그니스는 눈살을 찌푸렸다. 하지만 그 말을 한 갈릭 대공자는 이미 저만치 앞으로 나가고 있었다. 그런 그의 뒷모습을 보며 그란데 이그니스는 어금니를 깨물었다.

'시작해야 합니다.'

그때 그의 곁에 있던 거트루이다 젤러의 나직한 속삭임. 그에 고개를 끄덕이는 그란데 이그니스. 그의 눈동자에는 한 점의 망설임도 없었다.

척!

그에 거트루이다 젤러의 손이 들려졌다.

척! 척! 척!

그에 오토 에른스트 남작이 일단의 기사단을 대동한 채 개선을 하고 있는 아우슈반츠 백작의 앞을 가로막았다.

"무슨 일인가?"

"더 이상 들어갈 수 없소."

"들어갈 수 없다?"

그러면서 그는 마상에서 주변을 둘러보았다. 그 후 자세를 바로 하고 오토 에른스트 남작을 바라보며 물었다.

"반역인가?"

"아니오."

"그럼?"

"원래의 주인을 원래의 자리로 돌려놓는 것이오."

"원래의 주인이라… 그란데를 말하는 것인가?"

"그렇소."

"그란데 이그니스는 내 아들이다만?"

"누가 그러오."

"내 아들임을 부정하는 것인가?"

"맞아요."

그때 뾰족한 목소리가 들려왔다. 아우슈반츠 백작을 가로막았던 일단의 무리가 좌우로 갈라지면서 아우슈반츠 백작 부인이 모습을 드러냈다. 그녀의 곁에는 그란데 이그니스와 사일록 그라카스 백작이 자리하고 있었다.

"그대는?"

"오랜만이군. 로머스 아우슈반츠."

"사일록 그라카스."

그리고 아우슈반츠는 전후 사정이 어떻게 된 것인지 알겠다는 듯 딱딱하게 굳은 얼굴이 되었다.

"그렇게 된 것인가?"

한탄하듯 입을 여는 아우슈반츠 백작.

"그렇게 된 것이네."

그의 반응이 재미있다는 듯이 답을 하는 사일록 그라카스 백작.

"그럼 그란의 이름과 성은……."

"그란데 그라카습니다."

"그렇군."

하나, 그들의 예상과는 다르게 빠르게 안정을 되찾고 오히려 홀가분하다는 표정이 되어 현 상황을 인정해 버리는 아우슈반츠 백작의 모습에 오히려 당황한 그라카스 백작과 그를 따르는 귀족들과 기사들이었다.

"그러면 이게 단가?"

"뭐가 말인가?"

"나를 죽이기 위해서 나의 가문을 무너뜨리기 위해 동원한 인원이 이것이 다인가 묻는 것이네."

"이 이상 필요할 것이라고 생각하나?"

"자네와 내가 친구로 알고 지낸지 얼마지?"

"한 15년 됐지?"

"그 15년 동안 날 얼마나 파악했나?"

"속속들이 파악했지. 오늘만을 위해서 말이지."

"그런가? 그런데 한 가지 묻고 싶은 것이 있군."

"뭐 곧 죽을 놈이니 한 가지 정도는 대답해 주지."

"왜 친구가 되었나?"

"그때는 내가 약했거든."

"그래서 힘을 기른 것이다?"

"그런 것도 있고, 대외적인 시선도 있었지. 아무리 천하디천한 용병 출신이라고는 하나, 공을 인정받아 백작에 오른 자를 어찌 함부로 할 수 있을까?"

"그래서 기다렸다?"

"그래."

"그렇다면 그란데의 나이가 지금 스물셋. 둘은 그 이전부터 알고 있었나?"

"그녀는 원래 내 약혼녀였네."

"그런데 나에게 보내졌군."

"그래."

"내가 죽일 놈이군."

"그래도 죽일 놈인 걸 깨달은 걸 보니 고통 없이 죽게는 해

주겠다.”

“그런데 말이네.”

“할 말이 더 남았나?”

“누가 나에게 독을 쓴 거지?”

“알고 있었나 보군.”

“모르는 게 더 이상하지 않나?”

“하긴 그렇긴 하군. 하지만 이미 늦었어.”

그러면서 병을 꺼냈고, 그 병 속에는 보기에도 절로 인상을 찌푸리게 할 징그러운 벌레가 꿈틀거리고 있었다.

“이게 뭔지 아나?”

“흑염화로군.”

“…알고 있다니 대화가 편하겠군. 지금 내가 들고 있는 것이 바로 흑염화의 모체네.”

“그래서?”

“이것을 터뜨리면 네 몸 속에 숨어서 네놈의 마나로 살아가던 자체 역시 터진다는 거지.”

“그런가?”

담담하게 답을 하는 아우슈반츠 백작. 그런 그를 보며 스산한 미소를 떠올린 그라카스 백작.

“말에서 내려 내 발치에 엎드려 내 발을 핥는다면 살려줄 용의도 있네.”

"살려준다라… 한 가지 더 물어보지."

"질문이 많군."

"어차피 죽을 건데 그 정도는 해주지 않겠나? 미우나 고우나 15년 친구이지 않은가?"

"그런가? 한 가지만 대답해주지. 나에게는 시간이 그리 많지 않거든?"

"도대체 그 흑염화를 누구에게 받았나?"

"그건……."

"왜 대답하기 곤란한가?"

"너 따위에게 알려줄 필요는 없다고 본다."

"그래도 친구의 마지막 가는 길인데 좀 알려주지 그러나."

"누가 네놈의 친구란 말이더냐?"

"아닌가? 그럼 말고."

"이익!"

"그러니까 알려달라니까 그러네. 쪼잔하게 좀 알려주면 어때서……."

"아게르 후작 각하의 마법 병단장이다."

"아! 고맙군. 대신 빠르게 죽여주지."

"뭐라?"

"네놈이 과연 날 얼마나 안다고 생각하나? 내가 네놈이 알고 있는 익스퍼트 상급 수준일 것이라고 생각하면 오산이야."

"감히! 죽어라!"

그러면서 유리병을 그대로 바닥에 내던졌다.

쨍그랑! 와자자작! 퍼버버벙!

병이 깨지면서 흉물스러운 흑염화가 꿈틀거렸다. 마나를 빨아들이거나 폭발해 상대를 죽이는 벌레였으나 숙주가 없으면 메말라 터져 죽어버리는 흑염화. 그런 흑염화가 공기에 노출되어 부풀어 오르며 터져 나갔다.

그에 그라카스 백작은 잔인한 미소를 떠올렸다. 당연히 피를 쏟아내며 아우슈반츠 백작이 죽을 것이라 예상하면서 말이다. 하지만 그의 잔인한 미소는 빠르게 그의 얼굴에서 사라졌다.

"뭐하나?"

"이, 이게……."

놀라기는 아우슈반츠 백작 부인이나 그란데 이그니스, 아니 그란데 그라카스 역시 마찬가지였다. 하지만 먼저 정신을 차린 것은 역시나 그라카스 백작. 그는 어쨌든 빠르게 이 상황을 수습해야 한다는 것을 알았고, 그 수습이라는 것이 바로 아우슈반츠 백작의 죽음이라는 것을 알고 있었다.

"쳐라!"

"죽여라!"

"포로는 없다!"

그라카스 백작의 명령에 몇 개의 외침이 터져 나왔고, 기사들과 병사들이 한꺼번에 움직였다. 가장 먼저 그들을 향해 쇄도한 것은 역시 마법사들과 궁수들이었다.

"새끼들. 참 많이도 준비했네."

그 순간 아우슈반츠 백작은 귀족이 아니라 용병 시절 쓰던 말투가 그대로 튀어나오고 있었다.

CHAPTER 3

정리

그의 품위 떨어지는 말투에 그라카스 백작의 얼굴은 있는 대로 찡그려졌고, 아우슈반츠 백작 부인은 역시라는 듯한 얼굴을 해 보였다.

"역시 천한 것들이란……."

"걸레는 빨아도 걸레라는 것을 이제야 완벽히 이해할 수 있겠군."

"미친. 너희들이 말하는 걸레가 더러우면 그 집안이 더러워진다는 것을 모르는 모양이구나."

"이제 곧 죽을 놈이 말이 많구나."

그에 히죽 웃으며 입을 여는 아우슈반츠 백작.

"죽일 수 있다면 죽여 봐."

"이이익! 죽여! 죽이란 말이다. 살려 둘 필요 없다."

입 싸움에서 진 그라카스 백작은 미친 듯이 소리쳤다. 그것은 그와 오랫동안 살을 부대끼며 살아온 아우슈반츠 백작 부인도 마찬가지였다. 아니 지금 이 순간에는 그녀를 어떻게 불러야 할지 다소 헷갈릴 수밖에 없었다.

그에 아우슈반츠 백작은 무심하게 자신의 아내와 둘째 아들을 바라봤다. 그의 시선을 받은 둘은 전신에 소름이 돋는 것을 느꼈다. 그의 시선에서는 어떤 감정조차 찾아볼 수 없었기 때문이다. 그때 그라카스 가문의 기사들이 아우슈반츠 백작과 갈릭 대공자가 있는 곳으로 쇄도했다.

그것을 시작으로 마법과 하늘을 빼곡하게 뒤덮은 화살이 그들을 향해 쏘아지고 있었다. 하지만 아우슈반츠 백작 부자는 무표정하기 그지없었다. 그 표정을 바라본 그라카스 백작은 의기양양한 표정을 지어보이고 있었다.

그는 아우슈반츠 백작이 지금의 이 충격적인 상황에 정신을 놓았다고 생각할 뿐이었다. 그는 어렵지 않게 아우슈반츠 백작 가문을 자신의 수중으로 떨어뜨릴 수 있을 것이라 생각했다. 하지만 인간사란 생각처럼 쉬운 것은 아니었다.

유독히 그 두 부자에게 집중된 마법과 화살.

그 순간 두 부자는 동시에 검을 빼들고 있었다. 그리고 그 두 부자의 검에서는 동시다발적으로 눈부신 오러 블레이드가 시전되었다.

"저……."

순간 그라카스 백작의 입이 떡 벌어지며 눈은 찢어질 듯 부릅 떠질 수밖에 없었다. 그것은 그 광경을 바라보는 모두 마찬가지였다. 하지만 그들의 놀람은 그것이 끝이 아니라 시작이었다. 두 부자는 오러 블레이드로 날아오는 마법을 잘라내 버렸고, 화살마저 모두 쳐냈다.

그리고 그들의 바로 뒤에 있던 두 명의 용병들 역시 각자의 무기를 휘둘렀다. 그들은 오러 블레이드가 아니었다. 그들의 무기에서 떠오른 것은 오러 서클릿. 그저 서적에서나 보아왔던 혹은 소문으로만 들었던 그레이트 마스터의 전유물인 오러 서클릿이었다.

콰아아아~

수백 개의 오러 서클릿이 순회하듯이 사방을 휘돌기 시작했다. 그와 동시에 아주 정확하게 기사들만을 제거하고 있었다. 오러 서클릿을 날려 보낸 두 용병은 그저 남의 일을 보듯이 무심하기 그지없었다.

"으아아악!"

"도, 도대체……."

"우와아악! 이, 이게……."

좌라라랑!

파바바바박!

검을 막으면 검이 잘려 나갔고, 경로를 이탈하면 이탈한 상태에 따라 붙어 죽음을 선사했다. 어디에도 그들이 피할 곳은 없었다.

"괴, 괴물……."

"악… 마다……."

오러 서클릿을 모르는 병사들이나 아직 그레이트 마스터의 위용을 경험해 보지 못한 기사들은 그저 그 둘을 괴물이나 악마로 표현할 수밖에 없었다.

좌라라락!

하지만 지금 이 순간 아론과 그레이는 조연이었다. 주연은 바로 아우슈반츠 백작 부자라 할 수 있었다. 아론과 그레이는 단순히 그들이 조금 더 확실하게 이 사태를 정리할 수 있도록 한 손을 거들 뿐이었다.

물론, 그 거듦이 너무 화려해서 탈이기는 했지만 중요한 것은 그들이 주역이 아니라는 것이었다.

"어딜 그리 보느냐?"

두 부자가 말을 박차고 날아올라 그라카스 백작과 자신과 가문을 배신하고, 모욕한 아우슈반츠 백작 부인과 그란데 이그니스가 있는 곳으로 향하고 있었다.

"마, 막아! 막으란 말이다."

그에 그라카스 백작 가문의 기사들과 병사들이 앞으로 나서며 인의 장막을 치고 나섰다. 하나, 두 부자는 소드 마스터였다. 소드 마스터가 괜히 일인 군단이라 불리는 것이 아니듯 몇 백의 기사와 몇 천의 병사들이 막을 수 있을 리는 만무했다.

두 부자는 동시에 오러 블레이드를 시전하며 자신의 앞을 가로막는 모든 것을 베어내기 시작했다. 피가 튀어 오르고, 살이 갈라졌으며, 뼈가 잘려 나갔다. 비명이 사방으로 울려 퍼졌으며, 시체가 된 이들은 도처에 널리기 시작했다.

아무리 용맹한 기사와 병사들이라 할지라도 실전을 겪지 않은 기사들과 병사들이란 그저 온실 속의 화초와 같은 존재라 할 수 있었다. 그라카스 백작 가문이 제국 서부의 유수의 가문 중 하나이기는 했지만 매년 몬스터와 싸워 오고 있는 아우슈반츠 백작 가문의 용맹에 비할 바는 아니었다.

비릿한 혈향과 함께 잘려 나가 죽기도 하고 눈조차 제대로 감지 못한 채 죽은 시체들의 눈빛은 살아 있는 자들에게 두려움을 주기에 충분했다.

"겨우 이것이더냐?"

"이것밖에 없는가?"

아우슈반츠 백작 부자는 각자 오만하게 외쳤다. 하지만 그 누구도 그 둘을 막아설 수 없었다. 그들은 서두르지 않았다. 철저하게 짓밟아버리겠다는 듯이 움직였다. 한 걸음, 그리고 다시 한 걸음. 그들의 걸음마다 시체가 산처럼 쌓이기 시작했다.

그들만이 아니었다.

이미 어느 정도 언질을 받은 아우슈반츠 백작 가문의 기사단과 병사들은 정예 중의 정예라 할 수 있었다. 이미 몬스터 토벌전을 떠나기 전 어느 정도 사태를 직감하고 있던 갈릭 대공자는 자신을 따르는 심복들을 선정해 토벌전에 함께 참여했다.

그 말은 이미 그들은 이번 기습과 반역을 예상하고 있음을 의미한다. 전혀 모른 상태에서 당하는 것과 저들의 속셈을 알고 당하는 것은 다르다. 후자의 경우 준비가 가능했으니 아무리 마법과 화살 그리고 준비된 병력이 있다 해도 이쪽 역시 철저히 준비하고 있으니 전혀 거리낄 것이 없었다.

그리고 결정적으로 그들은 백전노장들이었다. 몬스터 토벌전을 통해 담금질을 한 그들이었고, 거기에 뛰어난 무용을 뽐내고 있는 용병들이었다. 사실 그들은 용병들을 믿지 않았다.

'뛰어나 봐야 용병이지.'

'대체 무엇을 믿고 저들과 함께 하는 것인가?'

'용병 나부랭이…….'

아마도 모르는 기사들이나 병사들이라면 분명 그리 생각했을 것이다. 하지만 지금 이 순간 그들은 자신들의 생각이 완전히 잘못되었다는 것을 알 수 있었다. 특히나 대부분이 2미터에 이르는 거대한 체구를 지닌 용병들의 힘은 그야말로 무지막지했다.

"일점 돌파!"

가장 앞에 서서 두 자루의 검은 둠해머를 든 용병이 외치자 용병들은 일사분란하게 움직이며 그를 따랐고, 무시무시한 속도로 가장 두터운 방어를 자랑하는 곳을 단 한 순간에 박살내 버리고 있었다.

콰콰콰쾅!

"크아아악!"

"꺼어억!"

기사들은 입을 쩍 벌린 채 바라볼 수밖에 없었다. 방패고 인의 장막이고 필요가 없었다. 아니, 애초부터 그런 건 없는 것 같았다. 그저 부딪히는 순간 산산조각이 나며 피의 분수가 일어났다. 그때 그들과 약간의 시간차를 두고 있던 용병들이 무서운 기세로 달려갔다.

그에 앞서 달려갔던 용병들은 기다렸다는 듯이 무릎앉아를 실행했고, 그런 그들의 어깨를 가볍게 딛고 날아오르는 몇 백의 용병들.

콰아아아아~

거대한 파도가 밀려가는 듯한 소리가 들려왔다.

"어?"

"어……."

성벽 위에서 화살을 재거나 다시 마법 주문을 외우던 궁수들과 마법사들은 멍하게 그 모습을 바라볼 뿐이었다.

쩌어어억!

가장 먼저 떨어져 내리던 용병의 도끼가 한 명의 마법사 머리를 그대로 쪼개 버렸다. 허연 뇌수와 핏물이 사방으로 튀었고, 그제야 정신을 차린 마법사와 마법사를 호위하던 병사들은 부랴부랴 창을 쥐고 그들을 공격하려 했다.

콰아앙!

하지만 쓸데없는 행동이었다.

이미 수백의 용병들이 떨어져 내렸고, 떨어져 내린 즉시 학살을 시작했다. 말 그대로 학살이었다. 용병들의 일격을 당해낼 병사들이나 마법사들은 없었다.

"파이어 애로우!"

"아쿠아 애로우!"

급하게 메모리 마법으로 저장했던 마법을 사용하는 마법사.

하지만.

콰콰가강!

마법이 통째로 박살나 버렸다.

마법이든 뭐든 맞아야 피해를 줄 수 있는 것이다. 마법을 피하거나 박살내 버린다면 아무짝에도 소용없는 일이었다. 그리고 용병들은 이미 이런 마법 정도는 아무렇지도 않게 박살낼 수 있다는 듯이 거침없었다.

"이, 이럴 수가……."

마법사들은 놀라지 않을 수 없었다.

통상적인 용병들이란 중병에 장병을 사용한다. 왜냐하면 배움이 일천한 그들이 선택할 수 있는 것은 한정적이었기 때문이었다. 그리고 그것을 증명이라도 하듯이 이 거대한 용병들은 보기에도 섬뜩한 해머라든지 할버드 혹은 무거운 도끼들을 다루고 있었다.

일반적인 범주에서 그들은 분명 힘만 믿고 까부는 그런 용병들임에 분명했다. 하지만 이들은 아니었다. 비록 1, 2서클의 마법이기는 해도 마법을 가볍게 박살내고 있었다.

"어떻… 게……."

"이렇게!"

마법이 막힌 것을 본 마법사가 자신도 모르게 중얼거릴 때 어느새 다가왔는지 모를 용병이 할버드를 수평으로 그으며 답을 했다. 그리고 마법사의 허리는 힘없이 양단되어 버렸다. 그의 곁에 있던 궁수는 너무 놀라 멍하게 바라보다 바짓단에 오줌을 지리고 있었다.

그런 궁수를 보며 용병은 나직하게 으르렁거렸다.

"무기 놓고 엎드려. 그러면 살 수 있다."

그 와중에도 삶에 대한 애착이 강했던 병사는 용병이 하는 말 그대로 행하고 있었다. 비단 그 병사들뿐만 아니었다. 상상조차 할 수 없을 정도로 강렬하게 다가오는 용병들의 무력에 불가항력이라는 단어가 마법사와 병사들 머릿속에 자연스레 떠오르며 자신도 모르게 항복을 하고 있었다.

"항복하지 마라!"

"항복하는 자는 내 손에 죽을 것이다."

기사들이 외쳤다.

마법사들과 다르게 기사들은 귀족들을 자신의 주군으로 섬긴다. 하지만 마법사들의 경우는 조금 달랐다. 지극히 개인적인 성향이 강하기 때문에 한 가문에 소속되어 있다 하더라도 계약 관계로 종속되는 경우가 다반사였다.

그 연유는 바로 바벨의 탑 덕분이었다. 마법사의 권익을 위해 나서지는 않았지만 든든한 배경이 되었기 때문이었다. 그래서 그들은 자신의 생명의 위협받는 상황에서는 스스로의 판단으로 항복을 할 수 있었다.

그 누구도 그런 그들을 뭐라 할 수 없었으니까. 어쨌든 마법사들과 병사들이 항복하자 위기감을 느낀 기사들이 외쳤다. 하지만 그런 기사들의 외침에도 불구하고 이미 전세는 기울어져 있었다.

실력에서 혹은 기세에서 모두 밀렸으니까 말이다. 그러함에도 기사들은 포기하지 않았다. 크게 외친 기사는 자신의 무기를 놓고 항복하려는 병사를 향해 검을 휘둘렀다.

카아아앙!

하지만 막혔다.

"크으읍!"

손아귀가 찢어질 것 같은 통증을 느끼며 뒤로 물러나는 기사.

"죽으려면 혼자 죽지?"

어느새 용병이 다가와 기사의 검을 쳐내고 양손에 든 배틀 엑스 중 하나를 아래에서 위로 그어 올렸다.

쩌어억!

기사의 사타구니에서부터 머리까지 가느다란 혈선이 생겨났다. 풀 플레이트 메일을 입었음에도 불구하고 용병의 일력을 감당하지 못한 것이다. 좌우로 갈라지는 기사, 그리고 그런 기사를 일별한 후 용병이 다시 다음 먹잇감을 찾았다.

그에 기사들은 그 잔인한 모습에 절로 뒷걸음질 칠 수밖에 없었다.

"너무 쉽군."

전황을 보고 있던 그레이가 덤덤하게 입을 열었다.

"전투를 해보지 않은 자들이라서 그래."

"이건 뭐……."

처음 한 번 오러 서클릿을 보여 준 이후 둘은 그저 방관자처럼 지켜보기만 했다. 그럼에도 이미 기울어진 전세는 다시 흐름을 타지 못하고 그대로 굳어지고 있었다. 그러다 문득 둘의 시선이 전방을 향했다.

바로 아우슈반츠 백작 부자가 있는 곳이었다. 그곳 역시 어느 정도 정리가 된 상태였다.

"이노오옴!"

처절한 그라카스 백작의 노호성이 터졌다. 그라카스 백작의 주변에는 이미 수십의 기사들이 고혼이 된 채 널브러져 있었고, 그 자신 역시 휘황찬란한 풀 플레이트 메일이 여기저기 찌그러지고 베인 채 힘겹게 아우슈반츠 백작을 쏘아보고 있었다.

"왜?"

그라카스 백작과 달리 아우슈반츠 백작의 얼굴은 지극히 평온해 보였다. 일견하기에는 말이다.

"네놈을 죽이고 말겠다."

"죽일 수 있으면 죽이라니까."

귀족적은 언행은 전혀 보이지 않았다.

마치 시정잡배나 거친 용병들처럼 행동하는 아우슈반츠 백작의 모습. 이미 갈릭 대공자는 멀찍이 떨어져 아버지의 폭주를 바라보고 있었다. 하지만 그의 얼굴은 좀처럼 볼 수 없었던 가느다란 미소가 걸려 있었다.

최근 수십 년간 이런 아버지의 모습은 보지 못했다. 언제나 힘들어하고, 홀로 감당하려 했으며, 끊임없이 주변을 경계하는 아버지의 모습을 보아왔다. 지금 아버지의 모습은 과거 자신이 어렸을 때 천했지만 당당했던 그 모습으로 돌아와 있었기 때문에 기꺼운 것이었다.

'돌아오셨군요.'

그래서 주변을 정리하면서 아버지가 모든 것을 끝내기를 기다렸다. 아직 자신은 가문을 이어받을 생각이 없었다.

'그 많은 서류더미 속에 파묻히는 것은 조금 미뤄도 되잖아?'

이것이 솔직한 갈릭 대공자의 심정이었다. 그 역시 평소의 진중한 모습은 온데간데없이 사라지고 조금은 치기 어린 모습으로 돌아와 있었다. 그러다 그의 시선이 그란데 이그니스와 부딪혔다.

부르르르.

그란데 이그니스는 자신도 모르게 전신을 부르르 떨었다. 그의 곁에는 이미 피칠갑을 한 일곱 명의 가신들이 있었다. 갈릭 대공자는 검을 끌며 느릿하게 그들에게로 다가갔다. 그러한 갈릭 대공자의 모습을 본 그들은 자신의 미래를 예감한 듯 탄식할 수밖에 없었다.

그들 앞에 선 갈릭 대공자가 나직하게 입을 열었다.

"조금 아쉽군."

"왜… 숨기고 계셨습니까?"

"숨기지 않았으면?"

"그랬다면……."

"날 선택했겠지. 하지만 본심이 다른 당신들은 언젠가 검을 거꾸로 들었겠지."

"……."

갈릭 대공자의 말에 침묵할 수밖에 없었다. 그들은 자신들을 너무도 잘 알고 있었다. 끊임없는 탐욕을 가지기에 그 탐욕을 채우기가 절대 쉽지 않을 것이라는 것을 말이다. 그 와중에 갈릭 대공자의 시선이 오토 에른스트 남작에게로 향했다.

"아저씨는 좀 의외네요."

"아… 저씨……."

그는 오랫동안 아우슈반츠 백작과 함께한 자였다. 바로 용병때부터 말이다.

"오… 랜만에 들어보는 소리로구나."

"그러네요. 그런데 아저씨는 욕심이 없는 줄 알았는데 왜 그랬어요?"

갈릭 대공자가 물었다. 그에 그는 슬쩍 그란데 이그니스를 바라본 후 가볍게 고개를 저었다. 이제 와서 그것을 따져서 무엇 하겠느냐는 표정이었다.

"변명하고 싶지는 않구나."

"그런가요?"

가볍게 대꾸하는 갈릭 대공자. 그의 결정을 존중하는 것이었다. 이어서 그의 시선은 다시 한 명의 기사에게 향했는데 바로 거트루이다 젤러였다.

"아직도 날 원망하나?"

"…원망하지 않습니다."

"거짓말이로군."

"…예. 원망합니다."

그녀 역시 전신에 피칠갑을 하고 있었다. 그녀는 헬름을 벗어 던지고 갈릭 대공자를 보며 따져 물었다.

"왜 그러셨습니까?"

"아직도 그때 내가 그들을 죽였다고 생각하나?"

"……."

그의 물음에 그녀는 아무런 말도 하지 않았다. 그녀도 알고 있었다. 그가 저지른 일이 아니라는 것을 말이다.

"그란. 네 말을 듣고 싶구나."

순간 갈릭 대공자는 대화 상대를 그란데 이그니스에게로 향했다.

"무, 무엇을……."

"알고 있기는 해도 네 입으로 직접 듣고 싶구나. 네가 그런 것이냐?"

"……."

그의 질문에 그란데 이그니스는 잠시 멈칫하다 이내 냉정한 표정을 지어보이며 독하게 입을 열었다.

"난 천한 용병을 형으로 둔 적이 없다."

그에 피식 웃어버리는 갈릭 대공자.

"그놈의 선혈주의는. 그래서 네놈이 한 일이 잘한 짓이라는 것이냐?"

"평민 놈들이야 어떻게 죽든 무슨 상관이더냐? 그놈들은 오로지 귀족을 위해서 존재하는 것을 말이다. 버러지 몇 마리 죽였다고 해서 그것이 죄가 된단 말이더냐?"

"그러니까 네 말은 버러지 몇 마리 죽인 것뿐이다?"

"그렇다."

그에 갈릭 대공자는 거트루이다 젤러를 바라보며 어깨를 으

쓱해 보였다.

"이렇다는데?"

순간 그란데 이그니스는 자신이 너무 흥분했음을 깨달았다. 이곳에 있는 일곱 명은 자신의 최후의 보루였다. 물론, 그들의 약점을 교묘하게 파고들어 그들의 충성 서약을 받아내기는 했지만 어쨌든 지금 상황에서 가장 믿을 만한 이들은 바로 이들이었다.

"어… 거, 거트. 그, 그것은……."

변명하려는 그란데 이그니스.

그에 반해 거트루이다 젤러의 얼굴은 냉정하기 그지없었다. 표정의 변화가 전혀 없는 그녀. 그런 그녀가 오히려 더 부담스러운 그란데 이그니스.

"죄송합니다."

"나한테 죄송할 이유는 없지."

"공자님을 신뢰하지 못했으니 당연히 죄송해야 합니다."

"그럼 사과를 받아들이지."

갈릭 대공자와 거트루이다 젤러는 덤덤하게 사과했고, 받아주었다.

"저의 사죄는 아직 끝나지 않았습니다."

"아니 그냥 사죄로 되었네."

"제 마음이 편치 않습니다."

“…….”

그에 안타깝다는 듯이 그녀를 바라보는 갈릭 대공자. 그 순간 그란데 이그니스는 상황이 묘하게 흘러감과 자신의 경솔함을 탓할 수밖에 없었다.

“이그니스 공자님.”

“어험. 험. 왜. 왜그러시오.”

“그동안 고마웠습니다.”

“험험. 그야 뭐. 당연한 일을… 허억!”

그른데 이그니스는 뒷 말을 잇지 못했다. 어느새 짧은 단검이 그의 복부의 비장을 아래에서 위로 찌르고 들어왔기 때문이었다. 풀 플레이트 메일을 입었음에도 불구하고 너무나도 간단하게 풀 플레이트 메일을 뚫고 들어오는 단검.

“무슨 짓인가?”

곁에 있던 메르스 히프텐 남작이 크게 소리치며 거트루이다 젤러를 향해 검을 휘둘렀으나 그 검은 오토 에른스트의 모닝 스타에 막혔다.

“당신…….”

“이제 이 지긋지긋한 삶도 끝을 내야 할 때가 온 것 같군.”

비록 용병 출신이었지만 일곱 명의 가신 중 은연 중 리더의 역할을 한 오토 에른스트였다. 그런 그의 배신은 그야말로 충격이라 할 수 있었다.

"나는… 이것이 갈릭 대공자와 아우슈반츠 백작에 대한 마지막 충정이라고 생각하네."

그러면서 모닝스타로 그란데 이그니스의 머리를 후려쳤다.

퍼억!

뇌수와 핏물이 사방으로 튀었다.

"자네!"

"미쳤나?"

"배신이냐?"

"역시 천한 용병 놈이란……."

"네놈을 믿는 것이 아니었는데……."

순간 다섯 명의 귀족들이 놀라 외쳤다. 그리고 그들은 미처 오토 에른스트 남작이 대응하기도 전에 각자 무기를 뽑아 그를 공격해 들어갔다. 하나, 그는 백전노장, 오토 에른스트 남작이다. 아무리 세월이 많이 흘렀다고는 하지만 그 오랜 세월 동안 단 한 번도 전장에 서지 않는 이를 상대로 당할 정도로 약해지지는 않았다.

"어림없다."

서걱!

메르스 히프텐 남작의 검을 가볍게 피하고 루드비히 비크의 검을 살짝 쳐 낸 후, 오토 에른스트는 세르게이 파리스티 남작의 심장에 검을 꽂아 넣었다. 하지만 정확하지는 않았다.

그에 오토 에른스트 남작의 얼굴이 찡그려졌다.

'너무 오래 쉬었어…….'

비슷하다고는 하지만 그 비슷한 와중에도 단연 돋보이는 것은 바로 오토 에른스트 남작이었다. 그는 정확한 타이밍에 정확하게 검을 세르게이 파리스티 남작의 심장에 꽂아 넣었다. 하지만 심장을 빗겨 적중했다.

세르게이 파리스티 남작은 고통에 일그러진 신음과 얼굴로 급히 뒤로 물러났지만 죽을 정도는 아니었다. 원래는 심장이 꿰뚫려 죽었어야만 했다. 최소한 익스퍼트 하급에 든 자신의 검이라면 아무리 훌륭한 풀 플레이트 메일이라 할지라도 꿰뚫었어야만 했다.

아주 잠깐 그런 상념을 하는 동안.

"후욱!"

등 뒤에서부터 화끈한 통증이 전해져 왔다. 그리고 귓가로 들려오는 음성.

"용병 주제에……."

그에 오토 에른스트 남작은 떨리는 눈으로 슬쩍 자신의 등 뒤에서 기습을 한 이를 바라봤다. '조디악 킬러.'

일곱 명의 기사 중에서 자신과 대척점에 선 귀족. 자신 앞에서 드러내지는 않았지만 그는 철저하게 귀족의 선혈주의를 신봉하는 자였다. 평소에 강력한 무력을 가지고 있는 자신에게 별다른 감정을 내비치지 않았지만 자신이 나약해지고 많은 이들의 자신에게 등을 돌리자 본 모습을 드러내고 만 것이었다.

후끈.

조디악 킬러 남작은 등 뒤에서 꿰뚫은 검을 비틀었다. 화끈한 통증이 밀려왔다.

"검에 독을… 발랐나?"

"그냥 죽이기에는 너무 아쉬워서 말이지."

"네놈……."

"천한 놈에게 그런 말을 들을 정도의 귀족이 아니다. 미안하지만 네놈의 역할은 여기까지다."

그러면서 득의만만하게 웃음을 짓는 조디악 킬러 남작. 하지만 그의 웃음은 오래가지 못했다.

푸욱!

"커헉!"

그의 심장을 꿰뚫고 들어온 날카로운 레이피어. 그는 유유히 자신의 심장을 뚫고 나온 레이피어를 바라보다 느릿하게 고개를 돌려 레이피어의 주인을 바라봤다.

"거트……."

"그 더러운 입에 내 이름을 담지 말라."

그러면서 검을 마구 휘저어 버리는 거트루이다 젤러 남작.

"크윽!"

심장이 잘게 잘게 분리되는 듯한 통증이 밀려오면서 전신에 힘이 빠져나가는 듯한 조디악 킬러 남작이었다. 그에 거트루이다 젤러 남작은 그의 심장을 난도질한 레이피어를 빼낸 후 거침없이 조디악 킬러 남작의 목을 베어버렸다.

조디악 킬러 남작의 목에 가는 혈선이 생기면서 그의 얼굴을 창백하게 변해 버렸고, 오토 에른스트 남작을 제외한 나머지 남작들은 경악에 찬 얼굴로 그녀를 바라보았다.

"제, 젤러 남작."

"당신이 왜?"

그들이 놀란 이유는 바로 이 중 오토 레른스트 남작을 제외한 나머지는 정통 귀족이었다. 그러하기 때문에 놀란 것이다. 정통 귀족이 천한 용병 출신 귀족을 옹호한다는 것은 있을 수 없는 일이니까.

"당신들이나 나나, 혹은 오토 에른스트 남작이나 결국은 모두 마찬가지 아닌가?"

"뭐가 말인가?"

딱딱하고 노한 얼굴을 한 메르스 히프텐 남작이 되물었다.

"자신이 섬기던 주군을 제대로 보필하지 못한 것 말이다."

"그것은……."

"물론, 내가 죽였지. 하지만 그게 뭐 어때서? 난 가문의 원수를 갚은 것뿐인데? 그리고 보아하니 당신들 역시 알고 있었던 것 같고."

"그, 그건……."

"더럽고 천한 건 오토 에른스트 남작이 아니라 바로 그 모든 것을 알면서도 알려주지 않고, 내가 그란데 이그니스를 죽이는 것을 뻔히 보면서도 그것을 막지 않은 당신들 아닌가? 그래도 오토 에른스트 남작은 일말의 죄책감과 귀족으로서의 소양이 있어 그 주인을 잘못을 따졌는데 말이야."

"그건……."

"변명이라고는 하지 말라. 너무 뻔한 거짓말이니까."

"죽여!"

결국 그들이 택할 수 있는 선택지는 하나였다. 자신들의 치부를 적나라하게 본 젤러 남작의 입을 막는 것뿐이었다.

바로 죽음으로서.

하지만.

"아직 안 죽었다."

오토 에른스트 남작은 노호를 터뜨리며 마지막 힘을 발산했다.

서걱! 서걱!

불의 기습을 당한 두 명의 귀족이 죽음을 맞이했다.

하지만 거기까지였다.

어느새 또 다른 검이 그의 허리를 스치고 지나감에 그는 풀 플레이트 메일과 함께 핏물을 왈칵 쏟아내며 휘청거리며 쓰러졌다.

"죽엇!"

세르게이 파리스티 남작은 마치 단두대에서 죄수를 사형시키듯 고개를 떨구고 있는 오토 에른스트 남작의 목을 쳤다. 그리고 그런 세르게이 파리스티 남작의 미간을 쪼개는 빗살 하나가 쏘아졌다.

"헉!"

바람 빠지는 듯한 소리가 들려오며 세르게이 파리스티 남작이 허물어졌고, 남은 이는 안드레이 코즐로프 남작뿐이었다. 젤러 남작이 신형을 돌림에 절망적인 표정을 지어보인 그는 스스로 검을 내던지고 무릎을 꿇었다.

그는 이곳에 젤러 남작만 있지 않다는 것을 너무도 잘 파악하고 있는 것이었다. 자신의 목숨과 가문을 살리기 위해서는 이쯤해서 무릎을 꿇어야 한다는 것도 말이다. 그런 그를 말없이 바라보다 갈릭 대공자를 바라봤다.

그리고 무릎을 꿇고 예를 취했다. 그런 그녀를 보며 고개를 끄덕이던 갈릭 대공자는 이내 눈살을 찌푸릴 수밖에 없었다. 젤러 남작이 어느새 작은 단검을 꺼내 자신의 목을 찌르고 있었기 때문이었다.

"죄송… 그륵!"

말을 마치지는 못했지만 그녀의 마지막 말을 충분히 짐작하고 남을 것 같았다. 그가 슬픈 눈으로 죽은 그녀를 보다 이내 시선을 들었을 때 이그니스를 따르던 이들은 너나할 것 없이 검을 내던지고 있었다.

자신들을 이끄는 수장이 죽었으니 더 이상 항거할 이유를 찾지 못한 것이다. 그리고 상대는 적이 아니라 바로 아우슈반츠 백작 가문의 대통을 이을 대공자였으니까 말이다. 그들은 이제 그의 자비를 바랄 뿐이었다.

"네 이노오옴!"

다만, 단 한 사람을 제외하고는 말이다.

바로 두 번째 어머니인 아우슈반츠 백작 부인인 그녀만을 제외하고는 말이다.

그녀는 어느새 주변에서 주워든 검을 들고 갈릭 대공자를 향해 검을 휘둘렀다. 하나, 갈릭 대공자는 가벼운 움직임만으로 그녀의 검을 피해냈다. 아무리 백작 가문의 둘째 부인이라고는 하나 평생 들어본 적 없는 검을 어찌 휘두를까?

그리고 이미 마스터에 오른 갈릭 대공자가 그런 그녀의 검을 맞아줄 이유도 없었다. 그녀는 미친 듯이 검을 휘둘렀다. 하나, 갈릭 대공자는 너무나도 쉽게 그녀의 검을 피해내고 있었다. 그렇게 언제 끝이 날지 모를 싸움을 하고 있는 동안 아우슈반츠 백작은 마무리를 짓고 있었다.

"사, 살려 주게."

그라카스 백작의 모습은 처참했다.

여기저기 찢어지고 갈라져 피범벅이 되어 있었고, 어찌나 땅바닥을 굴렀던지 흙먼지가 자욱하기까지 했다. 평소의 깔끔하기 그지없는 그의 모습은 온데간데없고, 거지보다 더한 꼴을 해 보인 채 자신의 목숨을 구걸하는 나약한 자가 아우슈반츠 백작의 앞에 있었다.

"살려 달라……."

검을 늘어뜨린 채 그라카스 백작의 말을 되뇌며 하늘을 바라보는 아우슈반츠 백작. 그런 아우슈반츠 백작의 모습을 잠시 잠깐 악독한 빛을 내비치는 그라카스 백작의 손이 꿈틀거렸다.

그는 지금 아우슈반츠 백작이 방심하고 있다고 생각했다. 그도 그럴 것이 다 잡은 물고기를 누가 감시를 하겠는가?

'흡!'

하지만 이내 그라카스 백작은 숨을 들이킬 수밖에 없었다. 어느새 하늘을 바라보고 있던 아우슈반츠 백작의 시선이 자신에게로 향했다. 몰래 자신의 부츠 어림을 잡아가고 있던 그의 손이 빠르게 원래의 상태로 돌아왔다.

"자네였다면 어떻게 할까?"

"무, 무슨 말인가?"

"자신에게 위협이 될 만한 자를 살려 두겠느냐는 말이네."

"그건……."

"그리고 자네는 살려달라고 애원하는 자를 살려준 적이 있던가?"

"……."

아우슈반츠 백작의 물음에 그라카스 백작은 말을 할 수 없었다. 그리고 짧은 시간동안 수십의 얼굴 표정이 변하는 그라카스 백작. 그리고는 이내 결심을 한 듯이 악독한 얼굴을 하며 입을 열었다.

"천한 놈을 천한 놈이라 부르지 뭐라 부르나? 네놈이 나를 죽이면 어떻게 될까? 과연 그것을 견딜 수 있을까?"

"그건 내가 걱정할 일이지, 네놈이 걱정할 일은 아니다."

"흣! 못 배운 놈이니 역시 생각이 짧구나. 제국의 서부가 아무리 귀족파와 황제파로 나눠져 있다고는 하나 7할은 귀족파다. 날 죽이면 귀족파에서 가만히 있을 것 같으냐?"

"가만히 있지 않으면?"

그러면서 그는 검에 오러 블레이드를 시전했다.

"오, 오러 블레이드."

그 순간 그라카스 백작의 얼굴이 일그러질 대로 일그러졌다. 그가 마스터라면 자신을 죽여도 아무런 상관이 없었다.

자신이 죽는 것보다 오러 블레이드를 구사하는 마스터 한 명을 영입하면 오히려 더 이득이니까 말이다.

“오러 블레이드라고 하지. 소드 마스터라고 말하기도 하고 말이야. 그리고 내 잘난 아들놈도 소드 마스터지. 소드 마스터가 길가에 굴러다니는 돌멩이도 아니고, 부자가 소드 마스터인 가문이면 네놈의 가문보다 훨씬 이득이지 않을까 한다만?”

“이익!”

아우슈반츠 백작의 이죽이는 말에 그라카스 백작은 할 말이 없었다. 한 명도 아닌 두 명이 소드 마스터다. 그렇다면 오히려 자신들을 욕하고 그들을 받아들일 것이다. 마스터라는 것은 이미 어떤 명분이나 신분을 넘어선 위치이니까 말이다.

분해 하면서도 말을 잇지 못하고 있는 그라카스 백작을 보며 서늘한 미소를 떠올린 아우슈반츠 백작은 공간을 격한 채 검을 휘둘렀고, 그라카스 백작은 핏물을 토해내며 허공으로 그 목이 떠올랐다.

아우슈반츠 백작은 그런 그라카스 백작의 모습을 보지도 않은 채 신형을 돌려 한 곳으로 향했다. 자신의 아들과 부인이 있는 곳으로 말이다.

“죽어! 죽으란 말이다!”

“천하디천한 놈!”

"네놈이 감히 그란을 죽이다니. 용서할 수 없어!"

머리는 산발이 되고 질질 끌리는 새하얀 의복은 어느새 핏물과 흙탕물로 물들어 가득 더럽혀졌음에도 아우슈반츠 백작 부인은 그저 미친 듯이 검을 휘두르고 있었다.

쉬에에엑!

우뚝!

그때 마지막처럼 검을 휘두르고, 그 휘두르는 검에 맞을 작정을 했는지 움직임을 멈추는 갈릭 대공자. 그에 아우슈반츠 백작 부인은 시니컬한 웃음을 지어보이며 뾰족한 음성을 토해냈다.

"네놈도 이제 포기한 모양이로구나."

죽일 수 있다고 생각했다.

벨 수 있다고 생각했다.

하지만.

턱!

잡혔다.

아우슈반츠 백작 부인의 시선이 자신의 팔목을 잡고 있는 억센 손의 주인에게로 향했고, 눈은 더 이상 커질 수 없을 정도로 커졌다.

"이제 그만해도 될 것 같군."

"당신……."

"나를 아직도 당신의 남편으로 생각하나?"

"그……."

"나와 20년을 살았음에도 불구하고 나의 아들이 아닌 정부의 아들을 낳아 길렀으면 됐지 않나?"

"……."

아우슈반츠 백작의 말에 백작 부인은 잠시 말이 없다 이내 표독한 표정을 지어보이며 입을 열었다.

"그래서? 그래서 어쨌다고. 흥! 당신은 나를 죽이지 못해. 이그난투스 가문이 가만히 있지 않을 테니까!"

"왜 내가 당신을 죽일 수 없다고 생각하지? 이그난투스 가문을 내가 두려워할 것이라고 생각하나? 아니면 당신을 사랑하기 때문에 당신을 죽일 수 없다고 생각하나?"

"그, 그것은……."

"당신이 사랑을 배신했으니 나 또한 사랑을 버릴 수밖에. 그리고 난 이그난투스 가문을 두려워하는 것이 아니라 당신과의 인연이 끊길 것을 두려워했던 것이야. 뭐, 지금은 그 두려움의 끈마저 사라졌으니 당신에게 고맙다고 해야 할 것 같군."

"다, 당신이 감히……."

"감히라는 단어는 강자가 약자에게 쓰는 말이지."

그녀의 귓가에 나직하게 속삭이는 아우슈반츠 백작. 순간 그녀는 그대로 얼어붙었다. 20년 동안 단 한 번도 들어보지 못한 스산하고 살기 어린 목소리였다. 그리고 무언가 서늘한 감각이 자신의 심장을 할퀴고 지나가는 듯한 느낌을 받았다.

"잘 가라고 해야 하나?"

"당신……."

"그동안 고생했어. 우리 가문을 풍비박산으로 만드느라. 그 노력은 그저 노력으로 끝날 뿐이지만."

"……."

아우슈반츠 백작의 말에 아무런 말도 하지 못하는 백작 부인. 그녀의 제멋대로 흩어진 의복에서는 핏물이 느릿하게 베어져 나왔고, 그녀의 얼굴은 점점 창백하게 변해갔다. 파르르 떨리는 눈썹은 애처롭기 그지없었다.

하지만 죽어가는 그녀를 바라보는 아우슈반츠 백작의 눈은 냉정하기 그지없었다.

"사랑… 했었다."

나직한 아우슈반츠 백작의 말에 죽어가는 백작 부인은 여전히 아무런 표정이 없었다.

"저… 주 할 것이다."

"그래, 그래. 죽어서 저주 열심히 해. 나도 저주할 테니까. 그리고 죽어서도 볼 수 있다면 똑똑히 지켜보는 게 좋을 거야. 당신의 가문이 어떻게 멸문하는지 말이지."

하지만 불행하게도 백작 부인은 그 말을 듣지 못했다. 이미 그녀의 몸은 축 처져 있었다. 절명한 것이다. 아우슈반츠 백작은 말없이 축 처진 그녀를 들고 있다 팔에 힘을 풀어버렸다.

풀썩.

힘없이 무너져 내리는 백작 부인.

"고생했다."

갈릭 대공자에 그 말을 한 후 옆에 서는 아우슈반츠 백작. 하지만 오히려 그런 아우슈반츠 백작을 걱정하는 갈릭 대공자.

"괜찮으십니까?"

"괜찮아 보이냐?"

"아니오."

"알면서 묻는 건 대체 무슨 심보인 것이냐."

아버지의 뚱한 물음에 그제야 안도한 듯 슬쩍 입술 꼬리를 말아 올리는 갈릭 대공자. 아우슈반츠 백작 역시 더 이상 갈릭 대공자를 타박하지는 않았다. 자신을 걱정해서 한 말임을 알기 때문이었다.

"그나저나 저들은 정말 대단하군."

"예."

두 부자의 시선은 어느새 전장을 정리하고 있는 두 명의 용병에게로 향했다.

'압도적인 무력.'

'그만이 아니라 그의 수하 역시 마찬가지다. 마치 인간이 아닌 것처럼 말이지. 물론, 바바리안족이기는 하지만 어쨌든 대단하군.'

어떻게 보면 압도적인 열세라고 할 수 있었다. 기사나 병력 그리고 마법사의 수에 있어서 철저하게 준비한 반란 세력보다 훨씬 미약한 상태였으니까. 하지만 임페리움 용병단은 그런 숫적인 열세나 혹은 계획을 철저하게 부숴 버렸다.

마법을 쪼개 버리고, 기사들을 압도했다. 그러면서도 많은 이들을 살려내고 있었다. 솔직히 과연 저런 용병단이 있을 수 있을까? 하는 생각이 들 정도였다. 그들의 무력은 그야말로 전율이 일어날 정도였다.

아무리 적을 상대하고 있다고 하지만 소드 마스터의 감각은 전장을 관통하고 있었다. 보지 않아도 눈앞에서 벌어진 일인 양 정확하게 알고 있었다. 그러하기에 그들의 무력이 도대체 어느 정도인지 감조차 잡을 수 없었고, 그들을 더욱더 경외심을 가지고 볼 수밖에 없었다.

"아버지의 선택이 옳았습니다."

"실행에 옮긴 것은 너다."

"뭐 그렇기는 하지만 어쨌든 뿌리를 잃지 않으려는 아버지의 생각이 지금의 상황을 만든 것이 아니겠습니까?"

"얼굴에 금칠은 그만하자꾸나. 가뜩이나 피냄새가 머리를 지끈하게 만드는데 말이다."

"알겠습니다. 그런데……."

"뭐 할 말이 더 있더냐?"

"저들을 어떻게 대하면 됩니까?"

"하던 대로."

"아버지는 친구라 하셨지만 저는……."

"사부라 불러."

"그게 가능하겠습니까?"

"일단 들이대."

"……."

아버지의 말에 멀뚱하게 그를 바라보다 피식 웃어버렸다. 그제야 생각난 것이다. 자신의 아버지는 이런 분이었다는 것을 말이다.

"그리고 이제 그 회반죽을 발라 놓은 얼굴도 바꿔라. 보기 껄끄럽다."

"그게……."

말을 하면서 볼을 긁적이는 갈릭 대공자.

"노력해. 아직 젊잖느냐."

"알겠습니다. 그리고 이그난투스 백작에게는 어떻게 알리실 생각입니까?"

"사실 그대로."

"그러면……."

"전쟁이지."

"알겠습니다."

어차피 가야 할 방식이었다. 이그난투스 백작 가문은 귀족파. 자신의 가문은 황제파가 될 것이다. 그러니 반드시 부딪히게 될 것이었다. 그리고 황제는 자신을 영입함과 동시에 서부의 열세를 뒤집을 것이다.

그러기 위해서 반드시 필요한 것이 바로 무력의 투사였다.

"그리고!"

"또 하실 말씀이 있습니까?"

"네가 가주 해라."

"예?"

"놀라기는. 너도 이제 서른이 넘었다. 가주도 한 번 해야지. 결혼도 하고."

"그, 그건……."

"이 아비가 그동안 많이 힘들었단다. 그러니 좀 쉬자꾸나."

백작의 말에 할 말은 없었다. 하지만 그래도 이건 아닌 것 같았다. 그러다 아버지의 시선이 임페리움 용병단의 단장과 부단장에게서 떨어지지 않는 것을 보고는 그는 피식 웃어버렸다. 자신의 아버지는 용병 생활이 그리워진 것이었다.

자신을 위해 20년을 버텨왔지만 이제는 자신을 뛰어 넘는 아들이 있으니 어디에 내 놓아도 그리 걱정 할 것 없을 것 같으니 이 지긋지긋한 귀족으로서 꼭두각시놀음을 그만두고 싶은 것이다.

"떠나시렵니까?"

"알잖느냐. 아비의 방랑벽을."

"저도 그렇습니다만."

"넌 조금 더 해도 돼."

"이럴 때는 좀 서럽습니다."

"서러우면 네가 아버지 하든지."

"크음."

떨떠름한 표정을 지어보이는 갈릭 대공자. 그런 대공자를 바라보며 자랑스럽다는 표정을 지어보인 아우슈반츠 백작은 장내를 정리하고 있는 아론이 있는 쪽으로 걸음을 옮겼다.

"이야~ 대단하군."

아우슈반츠 백작의 말에 아론은 적응이 안 되는지 멀뚱하게 그를 바라봤다.

"백작을 아들에게 넘기기로 했어. 이제는 그냥 이름뿐인 귀족이지. 그리고 우리 친구 맞지?"

"그… 래."

"로머스 아우슈반츠가 아니라 티르라 불러주게."

"티르?"

"내 용병 시절 때 이름이지."

"그게 훨 낫군."

"그렇지? 하여간 귀족 놈들의 작명 센스란."

"그런데 티르라면……."

그에 아우슈반츠 백작은 흰 이를 드러내며 웃었다. 아론 역시 들어본 적 있었다. 전장이라는 곳은 수없이 많은 말과 소문이 떠돌아다니는 곳이었으니까. 그 중 제국의 황자를 구한 용병의 이야기도 들을 수 있었다.

그 덕분에 백작의 자리에 올랐다는 전설적인 행운아. 바로 뇌전의 티르를 말이다. 어쨌든 나이로 치면 자신이 한참이나 어렸다. 하지만 중요한 것은 나이가 아니라 바로 실력. 티르는 그 실력을 그런 자신의 위명과 나이로 나눠 버리고 친구 먹은 것이었다.

그의 잔머리에 아론은 피식 웃어버렸다. 그에 티르 역시 따라 웃었다. 그리고 아론은 그가 자신을 따라 나설 것임을 직감하고 있었다.

"같이 갈 생각인가?"

"역사적인 순간인데 당연히."

"역사가 만들어지지 않을 수도 있어."

"그럴 수도 있겠지. 하지만 내가 보기에는 99.9%로 역사는 이뤄지네."

"쯧."

"허락하는 겐가?"

"마음대로."

그에 티르는 활짝 웃음을 떠올렸다.

CHAPTER 4
쿠테란으로 가는 길

아우슈반츠 백작 가문의 일은 빠르게 처리되었다. 이미 이에 대한 언질을 어느 정도 받았었는지 사설 경매를 위해 보름이나 먼저 도착한 에리히 펠기벨 백작은 대동한 마법사를 통해 서부 황제파를 이끌고 있는 에르난데스 체이스 후작에게 연락을 했고, 그 연락은 곧바로 황제파를 이끌고 있는 데이브 바티스타 제1 공작에게 전해졌다.

"허어~ 그런 변방에서 마스터가 두 명이나 나타나다니……."

"서둘러야 합니다."

“그래 서둘러야 하겠지. 어쨌든 빠르게 조치하도록 하게.”

“알겠습니다.”

이후의 절차는 빠르게 진행되었다. 그라카스 백작 가문의 영지가 아우슈반츠 백작 가문의 영지로 귀속되었고, 불륜의 주체가 되고 지아비를 20년간 속여 부도덕한 행실을 일삼은 이그난투스 백작 가문은 남작 가문으로 강등되면서 그 명맥만 이어줄 뿐이었다.

물론, 귀족파의 반발이 있기는 했지만 명백하게 드러난 서부 귀족파의 행실에 그들 역시 별다른 말을 하지는 못했다. 그에 바티스타 제1 공작은 의기양양해졌고, 그와 대척점에 선 라이언 베나비데스 제2 공작은 이를 갈며 다음을 기약할 수밖에 없었다.

“생각보다 빠르게 처리되었군.”

“아무래도 서부는 황제파보다 귀족파가 더 득세하고 있는 상황이니까.”

“그런가? 그러면 이제 떠나도 될 것 같군.”

“그래야지.”

아론과 티르의 대화였다. 그 중 티르의 얼굴은 후련함이 깃들어 있었다. 20년이 넘는 시간 동안 지켜온 가문이지만 지금 이 순간은 오히려 아쉬움보다는 후련함이 깃들어 있었다.

“후련한가보군.”

"그렇게 보이나?"

"그렇게 보이는군."

"들켰구만."

"그런 소리를 하기에는 너무 뻔하게 드러나는군."

"험험."

나란히 걷는 둘은 이런저런 소소한 대화를 주고받았다. 그런 그들에게 다가오는 일단의 무리가 있었으니 바로 갈릭 대공자, 아니 갈릭 아우슈반츠 백작이었다. 그가 모르게 빠져나왔지만 어떻게 알았는지 곧바로 따라온 것이었다.

"알고 있었더냐?"

"예전 아버지의 성정이라면 충분히 이럴 것 같았습니다."

"쩝. 어쨌든 너에게 무거운 짐을 지운 것 같구나."

"솔직히 후련하시지요?"

"큼."

"한두 해 아버지를 대한 것도 아니고. 어쨌든 잘 다녀오십시오."

"그 말을 하려 이런 꼭두새벽에 기사단까지 대동한 것이더냐?"

"비록 제가 백작 가문을 이어받기는 했으나 아우슈반츠 백작 가문을 일군 이는 역시 아버지 아닙니까?"

"그래서 마중 나온 것이더냐?"

"예."

"그래. 이제 얼굴을 보았으니 돌아가도록 해라. 백작이 성을 너무 오래 비우는 것은 좋지 않다."

"겨우 몇 시간 비운다고 무너질 백작 가문이 아닙니다."

"그럼 사라질 때까지 보고 가던지."

"부디 몸조심하시기 바랍니다."

"너만은 못해도 어디서 맞고 다닐 정도는 아니니 걱정하기 말거라."

"통신 주시기 바랍니다."

"무슨 일이 있다면 말이지."

"어쨌든 잘 다녀오시기 바랍니다."

"그래 너도 몸 건강하거라."

그러면서 몸을 돌려 세우는 티르. 그런 아버지의 뒷등을 무심하게 바라보는 아우슈반츠 백작.

"돌아간다."

"명!"

가볍게 말을 하고 말고삐를 잡아채는 아우슈반츠 백작이었고, 그런 아우슈반츠 백작이 사라질 즈음 아론은 티르에게 물었다.

"괜찮겠나?"

"자네보다는 못하지만 소드 마스터네. 그 마스터를 어찌하려 하는 이들은 드물지."

"하지만 권력이라는 괴물은 그 소드 마스터조차 일개 평민으로 만들지."

"괜찮네. 내 아들이라서 그런 것은 아니지만 그 아이가 그리 가볍지 않은 성정이니 말이네. 충분히 제 앞길을 헤쳐 나갈 수 있을 것이네. 뭐 어디 한두 살 먹은 아이도 아니고 말이네. 그리고 그동안 대부분의 일을 그놈이 처리했으니 평소처럼 한다고 해도 결코 다른 놈들한테 먹히지는 않을 것이네."

"믿음이 대단하군."

"아들이니까."

"그런가?"

아론으로서는 별로 동감하지 못할 말이기는 했다. 그는 아직 결혼조차 하지 않고 있었으니까. 하지만 전쟁 용병으로서 오랫동안 활동하다보면 이런 저런 사람을 많이 만날 수밖에 없었다. 보고, 듣고, 경험한 것이 적지 않은 그인지라 아주 조금이라도 어느 정도는 이해할 수 있었다.

그들은 그렇게 두런두런 대화를 나누며 코카서스로 향했다.

"어서 오게!"

그리고 그들을 반갑게 맞이하는 이가 있었으니 바로 쉼머해드였다. 그는 어느새 떠날 채비를 모두 마친 채 그들을 맞이하고 있었다. 기다리는 것이 힘들다는 듯이 말이다. 그리고 그동안 여기저기에서 구한 이종족 노예들이 더해져서 이제는 상당한 수로 늘어난 상태였다.

최초에 몇백 명 수준이었던 이종족이 이제는 3~4천을 가볍게 넘는 수준이 되어 있었던 것이다.

"흐음."

"자네 용병단이 상당히 고생했네."

"그렇군."

그때 그의 곁으로 제라르와 얀센이 다가왔다.

"왔수."

"고생했다."

"뭐 고생이랄 것이 있수. 그냥 가서 빼오기만 하는 것인데……."

제라르가 별로 대단치 않은 일이라는 듯 입을 열었다. 하지만 그의 말처럼 그리 쉬운 일은 절대 아니었을 것이다. 일단 노예 상단이라는 것이 합법적인 것이 아닌 불법적인 것이다 보니 무력은 필수라 할 수 있었다.

그리고 그들은 나름대로 연계망이 있어 한 군데가 탈이 나면 곧바로 그에 대처할 수 있도록 긴밀하게 연락을 주고받는 그들이기에 이 많은 이종족을 구해내는 데에는 절대 쉽지 않았을 것임이 분명했다.

그리고 그런 아론의 생각을 뒷받침이라도 하듯이 일단의 무리들이 은밀한 곳에 모여 이번 사태에 대해 심각하게 대화를 나누고 있었다.

"벌써 4천입니다."

"4천이라……."

"이를 어찌해야 한단 말입니까?"

"다른 곳은 어떻습니까?"

"일단 알아 본 바로는 서부 쪽만입니다."

"흐음. 그러면 관이나 시장 쪽은 어떻습니까?"

"시장이나 관은 여느 때와 같습니다."

"그렇다면 시장에 팔지 않았다는 것인데……."

"이종족의 소행일까요?"

"그럴 가능성이 높지 않겠소?"

"한 가지 더 짚고 넘어가야 할 것이 있소."

"무엇이오?"

"용병들의 움직임 말이오."

"하지만 용병들의 움직임을 파악하기에는……."

"그래도 해야 하오."

"최근 서부 쪽의 아우슈반츠 백작 가문의 몬스터 토벌전 때문에 많은 용병의 유입이 있었소."

"바로 그것이오. 그들을 추적하면 되지 않겠소."

"어렵지 않겠소이까? 몬스터 토벌을 위해 참전한 용병들이라면 그 수가 만만치 않을 터인데……."

"그렇다고 그 많은 인원을 잃을 수는 없지 않겠소."

"그것도 그렇지만……."

"이럴 때 우리가 뭉쳐야 하지 않겠소이까? 이번에 이종족이 되었든 용병이 되었든 일벌백계를 해야만 두 번 다시 이런 일이 일어나지 않을 것이오."

"그렇게 되면 우리의 존재가 들어날 수도 있소."

"그러니 조심해야지요. 그리고 만약 이종족을 구해간 놈들을 찾는다면 단 한 명도 살려둬서는 안 될 것이오."

"그야 물론이지요."

"그리고 이 일과 관계 된 귀족들에게도 잘 말해서 그들의 힘을 빌려야 하지 않겠소."

"그들이 힘을 빌려 주겠습니까?"

"받아내야지요. 잇몸이 없으면 이가 시린 법입니다."

"알겠소."

"모두 신속하게 움직입시다. 그렇지 않으면 다른 상인들이 우리를 물어뜯으려 할 터이니 말이오."

"그야 물론이지요."

그 말과 함께 다들 자리를 박차고 일어섰다. 시급하게 처리해야 할 일이었다. 이것은 자신들의 생존권이 달린 일이니 당연한 일이라 할 수 있었다. 물어뜯지 않으면 뜯긴다. 뼈조차 남기지 못하고 뜯기는 것보다 뼈조차 씹어 먹는 편이 훨씬 더 좋다.

아주 단순한 논리일 뿐이었다.

그리고 그 논리로 지금까지 자신들은 살아왔으니 그 논리에서 벗어날 수 없는 것은 당연한 일이라 할 수 있었다. 모두가 자리를 벗어남에 서부 노예 상인의 수장인 자는 뒷짐을 진 채 자리에서 일어나 어두운 야공을 올려다봤다.

그때 그의 등 뒤로부터 소리 없이 모습을 드러내는 존재가 있었으니 깊숙하게 눌러쓴 후드로 인해 모습을 제대로 볼 수 없었다.

"어떻게 하시겠습니까?"

"무엇을 말인가?"

"보고해야 하지 않겠습니까?"

"그분께서 모를 것 같은가?"

"그건……."

"그분께서 전언이 없다는 것은 알아서 처리하라는 것이네. 그렇지 않아도 최근 정국이 그리 만만치 않으니 이곳까지 신경 쓸 수 없음이네."

"하나……."

"뭐 그래도 보험 정도는 들어두는 것이 좋겠지."

"더불어 원군을 불러야 하지 않겠습니까?"
"원군을?"
"그렇습니다."
"원군이라……."
나직하게 되뇌이며 생각에 잠겨드는 자. 한참동안 생각하던 그는 이내 결정을 내렸다.
"적당한 수라면 그리 어려울 것도 없지. 그래야 내 모습을 감출수가 있을 터이니."
"옳으신 선택이십니다."
"허면, 얼마 정도가 좋겠는가?"
"쉐도우 나이트 2백 정도면 괜찮을 듯싶습니다."
"음… 너무 적은 것 아닌가?"
"그 정도는 되어야 할 것입니다."
"그렇군. 그렇게 실행하도록."
"알겠습니다."
그림자가 사라짐에 홀로 남은 자는 주먹을 콱 움켜쥐었다.
'최대의 위기. 하나, 난 이 위기를 기회로 삼는다.'
그는 야망을 가진 자였다. 그리고 그 야망에 충실했다.

*　　*　　*

인적이 드문 평야.

수천의 무리가 느릿하게 움직이고 있었다. 용병들과 이종족이 뒤섞인 이동 행렬이었는데, 바로 아론과 쉽머해드 일행이었다. 그리고 그들이 구해낸 이종족 노예까지 포함되어 있었다.

이종족 노예들을 구해냈다고는 하지만 그 수가 워낙 많은 탓에 주로 밤을 이용해 인적이 드문 곳으로 이동할 수밖에 없었다. 인간과 이종족이 어울려 살기는 하지만 아직까지 서로를 경원시하고 있는 것은 변함이 없었다.

상당히 오랜 시간 동안 이종족과의 융합을 실시하고 있지만 그것이 그리 만만치 않았다. 인간은 인간대로 이종족은 이종족대로 자신들이 지향하는 삶이 있기 때문이었고, 거기다 다수로 중간계를 지배하는 인간은 인간 나름대로 중간계의 주인이라는 의식을 가지고 있는지라 쉽게 그 경계가 허물어지지 않았다.

그것도 몇천의 이종족이 함께 움직인다면 필시 인간 군상들은 그들을 경계하고 비협조적으로 혹은 그들을 오히려 토벌하려 할 수도 있었다. 그리고 졸지에 상품을 잃어버린 노예 상인들의 눈이곳곳에 진을 치고 있을 터이니 당연히 이들의 행로는 고난이 함께할 수밖에 없었다.

하지만 누구 하나 불만을 토로하는 이는 없었다. 이종족이란 원래 자연을 벗 삼아 살아가는 이들이다. 그리고 낮보다는 밤에 더 적응하고 살아가는 종족들이 대부분이었다. 특히나 호족과 같은 경우는 더욱더 그랬다.

덕분에 죽어나는 것은 그들을 호위하는 임페리움 용병단이었다. 물론, 3천에 이르는 오크들은 달랐지만 어쨌든 절대 쉽지 않은 행로인 것은 분명했다.

오늘도 여전히 밤을 타 이동하는 대규모의 이종족 무리들. 쉼머해드가 이끄는 용병단과 아론이 이끄는 용병단까지 합치면 거의 7천에 가까웠으니 엄청난 대규모라고 할 수 있었다. 그럼에도 불구하고 그들은 신속하게 움직이고 있었다.

제라르와 얀센은 아론을 만난 이후 인간들로 구성된 용병들을 대동하고 플랑드르로 돌아갔고, 남은 쿠테란 마을로 가야만 하는 아론과 그레이였기에 그나마 규모가 축소된 것이었다. 어쨌든 그들은 조심스럽게 무리를 이끌었고, 큰 위험 없이 순조롭게 이동하고 있었다.

그러다 문득 가장 선두에서 무리를 이끌고 있던 그레이가 멈춰 서 손을 들어 보였다. 그때 아론 역시 가장 후미에서 어느새 그의 곁으로 다가와 있었다.

"무슨 일인가?"

쉼머해드는 표정이 심상찮은 두 용병들을 보고 긴장한 채 그들에게 물었다.

"불청객이로군."

"으음……."

아론의 말에 올 것이 왔구나 하는 얼굴을 하는 쉼머해드. 이들을 구하는 것은 그리 어렵지 않았다. 아직 방비를 하지 않은 그들이었으니 그들을 기습에 노예들을 구해내는 것이었으니까. 하지만 그들이 먼저 공격을 해온다면 그것은 조금 암담하기는 했다.

이유는 구해낸 이종족들 중 상당수가 비전투 요원이었기 때문이었다. 물론, 평범한 인간들보다 훨씬 더 뛰어난 능력을 가지고 있기는 하지만 그렇다 해도 그리 쉽지 않은 상대이기는 했다.

이미 노예 상인들은 어느 정도의 인원이 빠져나갔는지 계산을 했을 것이고 그에 따른 병력을 모으고 면밀하게 추적해 왔을 것이다. 그리고 확실하게 승산이 있다고 생각했으니 공격을 하려 할 것임에 분명했다.

물론, 그 공격이 정면 공격이 아닌 기습에 가까운 공격이었고, 그 기습에 가까운 공격이 사전에 그레이와 아론에 의해 발각되어서 별로 큰 의미는 없지만 말이다.

"쉼머해드는 전투가 가능한 이들과 함께 비전투 인원을 보호하도록."

"……."

아론의 말에 배틀엑스를 움켜쥐던 쉼머해드가 멀뚱하게 아론을 바라봤다. 싸우는데 왜 자신들이 빠져야 하는지 모르겠다는 듯이 말이다.

"꽤 시간이 경과하기는 했지만 우리는 인간이니까."

"그… 렇군."

단번에 아론이 하는 말의 의미를 깨달은 쉼머해드. 지금은 안정이 필요한 때. 아무리 자신들을 구하고 함께 이동한지 꽤 시간이 지났다고는 해도 완전히 이들을 신뢰하는 것은 아니라 할 수 있었다.

그렇다면 불안감이 증대할 수밖에 없을 것이다. 그것을 미연에 막고자 하는 것이 바로 아론의 의도였다.

"그런데 괜찮겠나?"

"우리는 임페리움 용병단이다."

"그……."

말을 흐리며 아론을 바라보는 쉼머해드. 그러다 문득 그는 얼굴을 굳히며 입을 열었다.

"믿어야겠지. 지금까지 자네를 믿었으니까."

"그래. 한번 끝까지 믿어봐."

기실 믿지 않을 도리가 없었다. 이들을 구할 수 있었던 결정적인 힘을 제공한 것이 바로 아론이었으니 말이다. 자신은 알고도 인간들의 강대한 힘이 두려워 애써 외면하고 있던 것을 이들은 실제 행동으로 옮겼다.

같은 이종족이라 불리는 자신은 한 일이 하나도 없었다. 처음부터 끝까지 이들이 모든 일을 실행했다. 그런데 이들을 믿지 않고, 도대체 누구를 믿는다는 말인가?

"그래, 믿지. 이 일의 처음 시작부터 자네가 했으니."

그의 말이 떨어지자마자 아론과 그레이 그리고 2천의 용병들이 두 무리로 나눠지면서 어둠 속으로 사라졌다.

"무슨 일입니까?"

이종족 전사인 우르드가 물었다.

"노예 상인들이다."

"그……."

"일단은 비전투 인원과 함께 움직인다."

"하지만……."

"그들을 믿어라. 너희들을 구한 것은 내가 아니라 그들이다."

"그게 아니라 우리도 힘을 보태야 하지 않겠습니까?"

"그럼 비전투 인원은 누가 책임지나?"

"그야……."

"처음 구함을 받은 너희들이야 그들을 믿는다고 하지만 다른 종족들은 과연 그들을 얼마나 믿을 것 같은가?"

"그… 렇군요."

"그는 현명하고 강한 자다."

"알고 있습니다."

"이 또한 그의 예상에서 벗어나지 않았을 것이라고 본다."

"그것 역시……."

"그러니 그들을 믿고 우리는 우리의 임무를 다하면 된다."

뒤에서 약간의 소요와 불안감을 내비치고 있는 이종족들을 바라보며 쉼머해드가 입을 열었다.

"알겠습니다."

"그럼 움직인다."

"예."

이종족의 전사들의 비전투 인원을 보호하면서 조금씩 이동하는 동안 그레이와 아론은 대열의 앞뒤로 갈라지면서 숨어 있는 적들을 찾아내기 시작했다. 그리고 숨어서 기습을 하려 했던 이들은 그들의 이상한 움직임에 눈살을 찌푸렸다.

"뭐 하려는 거지?"

"우리의 기습을 눈치챈 것이 아닐까요?"

"그럴 리가 없다. 저들이 마스터가 아닌 이상에야 이런 야밤에 어떻게 우리의 존재를 눈치챈단 말인가?"

"그렇지 않으면 지금의 상황을 어떻게 설명할 수 없습니다."

"그건……."

"일단 만일을 대비해 준비해야 하겠군."

"대비하는 것이 아니라 선제공격을 해야 합니다."

"아! 그렇군."

이곳에 투입된 용병들이나 자유 기사 혹은 자유 마법사가 무려 5천 명에 가깝다. 실로 대단한 수가 아니라 할 수 없었다. 하지만 제이니스 제국의 인구를 생각해보면 그리 많은 수도 아니었다.

규모가 작은 영지전에서조차 1만은 가볍게 넘어서는 제이니스 제국이고 심지어는 일개 산적들조차 그 수가 무려 5만을 넘어가는 경우도 있으니 겨우 1만이 조금 넘는 수가 서로 창칼을 겨눈다고 해서 그리 큰 문제는 되지 않았다.

산적들의 영역 전쟁이 비일비재하니 말이다. 덕분에 그 누구도 1만이 넘어가는 이 전투에 관심을 기울이는 자는 없었다. 아니 애초에 이런 험난한 지형으로 사람이 들어오지 않았다. 몬스터와 산적, 그리고 험난한 지형까지.

노예 상인들은 철저하게 자신들에게 유리한 지형을 택해 기습을 실행해 잃어버린 노예들을 되찾으려 하고 있었다. 물론, 이들이 전부는 아니었다. 서부를 손아귀에서 쥐락펴락하는 그들이 겨우 5천의 용병이나 기사를 동원했다고 탈이 날 정도는 절대 아니었으니까 말이다.

더군다나 이번 사태는 서부의 노예 상단 대부분이 참여하고 있으니 누구를 견제하고 자시고 할 필요조차 없었다. 또한, 그들은 이번 일이 성공적으로 끝나리라는 것을 확신하고 있었다. 그래서 노예들을 구하기보다는 구한 후 자신들이 얼마나 많은 노예들을 확보하느냐에 더 관심을 가지고 있었다.

"안 되겠다. 먼저 선수를 친다."

그것은 각 노예 상단주에게 고용된 기사들과 용병들 역시 마찬가지였다. 이들은 하나의 단체가 아니라 각자 고용된 단체일 뿐이었다. 그러니 노예를 확보하는 만큼 추가 수당을 받아낼 수 있으니 눈치만 볼 수 있는 상황은 절대 아니었다.

"그럽시다."

"우와아아~"

그들은 기습이라는 것을 잊은 듯이 커다란 함성을 지르며 세 방향으로 갈라지는 이종족을 향해 달려들었다. 물론, 가장 큰 덩어리를 가진 비전투 이종족보다는 그래도 도검을 가지고 있고, 위험해 보이는 2천 정도의 용병들을 향해서였다.

위험은 먼저 제거해야 하는 것이 맞으니까 말이다.

그리고 그들 역시 기다렸다는 듯이 자신을 향해 쇄도해 오는 용병들을 향해 달려들었다.

"죽여라!"

"죽여! 죽여!"

"크하하하! 오랜만에 피맛을 보겠구나."

"저놈은 내꺼다."

"이 새끼, 이 와중에 제 버릇을 못 버리는구나."

"남이사 뭐를 하든."

"시끄럽고 빨리 족치기나 해!"

용병들은 함성과 함께 별의별 말을 해대며 밀려오고 있었고, 아론은 그런 그들을 무심하게 바라보았다.

"흘리지 마라."

나직하게 일갈하는 아론.

꾸욱!

그의 말에 당연하다는 듯이 들고 있는 중장병기를 움켜쥐는 임페리움 용병단의 용병들, 아니 마법 면구를 착용한 오크들이었다. 그들은 분노하고 있었다. 인간들의 잔인함과 무식함, 그리고 안하무인의 행태에 대해서 말이다.

츄우욱!

아론의 신형이 잔상을 남기면서 길어졌다.

"크아아아~"

회색 오크들이 거대한 함성을 내지르며 자신들의 두 배를 훌쩍 뛰어넘는 용병들을 향해 전혀 두려움 없이 뛰어들었다.

쫘아아악!

피가 분수처럼 튀었다.

가장 먼저 달려오는 용병들을 향해 대검을 나이프 휘두르듯이 휘저어버린 아론의 일검에 서너 명의 용병들의 목이 우수수 떨어지며 피가 사방으로 튀었다. 하지만 그것은 시작일 뿐이었다. 그의 투박한 대검은 쉬지 않았다.

좌악! 좌아아악!

"크아아악!"

수십 명의 용병들이 피분수를 뿜어낸 후에야 겨우 비명이 한 줄기 울려 퍼졌다. 용병들은 멍하니 그 광경을 지켜봤다. 도저히 믿을 수 없을 정도의 속도였기 때문이었다.

"뭐… 지?"

"저게……."

그들이 멍하게 중얼거릴 때 마침내 회색 오크들이 그들의 한가운데로 뛰어들었다.

콰아아!

쩌어어억!

"크아아악!"

"사, 살려……."

난장판이 시작되었다.

그리고 그 난장판은 일방적으로 흐르고 있었다. 거의 3천에 달하는 노예 상단에 고용된 용병들이 겨우 1천 정도의 용병들에게 힘 한 번 제대로 써보지 못하고 밀리고 있는 것이었다. 말이 밀리는 것이지 실제로는 일방적인 학살이라고 할 수 있었다.

거대한 할버드와 배틀엑스.

그리고.

배틀해머가 사방에서 난무하고 한 번 휘두름에 서너 명의 용병들이 우수수 죽어나가기 시작했다. 그중 발군은 역시 아론이었다. 그는 전장을 지배하고 있었다. 그 어떤 용병들도 그의 일검을 막아내는 자는 없었다.

막으면 막는 대로, 피하면 피하는 대로 죽음을 맞이했다.

"저, 저게……."

"병신 새끼들아! 한 놈이야! 한 놈! 쪽수에는 장사 없다!"

"저 새끼다! 저 새끼를 죽이면 내 수당을 준다!"

게 중에 정신을 차린 몇몇 용병들이나 기사들이 외쳤다.

와아앙!

콰아아앙!

"야 이 병신 새끼야! 그쪽으로 마법을 쏘면 어떡해?"

"씨발! 내가 죽게 생겼는데 무슨 상관이냐! 일단 죽이고 봐야지."

"그건……."

이미 아수라장으로 변해 버린 상황에서 적아의 구분은 이미 사라진 지 오래였다. 자유 마법사로 고용된 이들은 상황이 묘하게 돌아감을 알고 아론과 뒤엉켜 있거나 혹은 회색 오크와 뒤엉켜 있는 곳을 향해 마법을 난사했다.

고용된 용병이 있건 말건 신경 쓰지 않고 말이다. 일단 죽이고 보자는 생각일 것이다. 하나, 죽어가는 것은 죽어야 할 적 용병이 아니라 아군 용병들뿐이었다.

"크아아악!"

"사, 살려줘어……."

"불! 불!"

뇌전 마법으로 전신이 시커멓게 타 죽는 이가 있는가 하면은 온 몸에 불을 달고 이리저리 움직이며 살려달라고 외치는 용병들이 다수였다. 정작 죽어야 할 적들은 전혀 죽지 않고 말이다. 그리고 그들이 마법사의 존재를 깨달았다.

"히이익!"

원거리에서 마법을 사용하던 마법사가 회색 오크의 시선과 부딪혔다. 그에 심장이 덜컥 내려앉은 마법사는 자신도 모르게 뒷걸음질 쳤다. 하나, 물러설 수 없었다. 그를 호위하는 용병들이 그의 뒷걸음질을 막았기 때문이었다.

"도망가면 내 도끼가 네놈의 머리를 쪼개 버릴 것이야."

"이 씨발, 저런 괴물 새끼들이 어떻게 용병이냐고."

"괴물이든 뭐든 돈 받은 값은 해라. 변태 마법사 새끼야."

용병의 거친 말에 지은 죄가 있었었던지 자유 마법사는 얼굴이 창백하게 바뀌며 마법 주문을 영창하기 시작했다. 평상시였다면 감히 고개도 들지 못할 놈들이었다. 하지만 지금은 평상시가 아니라 전투 중이었다.

그것도 파이어 볼을 도끼로 쪼개 버릴 정도의 실력을 갖춘 적들과 전투 중이었다. 만약 자신을 지켜주는 용병들이 없다면 자신은 가장 먼저 죽었을 것이다. 그래서 일단은 참아야 했다. 할 만큼만 하고 기회를 봐서 빠져나가야 했다.

그리고 막 주문이 완성되어 마법을 발현하려는 순간이었다.

샤아아악!

날카롭고 형언할 수 없는, 무언가 소름끼치는 소리가 들려왔다.

촤아아악!

비릿한 냄새와 함께 후끈한 열기를 가진 진득한 액체가 마법사의 전신을 강타했다.

"허어억!"

그가 본 것은 자신을 윽박지르던 용병들의 목이 잘려 나가며 몸이 기우뚱 기울어지는 모습이었다. 마법사는 너무 놀라 자신도 모르게 주문을 취소시켜 버렸다. 그는 비장의 무기인 블링크 스크롤을 사용할 생각조차 하지 못하고 그대로 굳어져 버렸다.

따끔!

마치 모기에 물린 것 같은 따끔함이 전해짐과 동시에 전신의 힘이 모두 사라지는 것을 느꼈다. 세상이 흔들리고 어두워졌다.

'죽는 것… 인가?'

그것이 마법사가 생각할 수 있었던 마지막 생각이었다. 하지만 마법사와 마법사를 죽인 자는 이미 그 자리에 없었다. 어느새 그는 또 다른 마법사와 기사들이 있는 곳으로 향하고 있었다.

"저, 저……."

누군가 죽은 용병들과 마법사가 있는 곳을 가리키며 말을 제대로 잇지 못하고 있었다.

서걱!

그런 그의 목에서도 소름끼치는 음향이 들려왔고, 이내 목에는 가느다란 혈선이 생겨났다.

털썩!

"사, 살려……."

서걱!

예외는 없었다.

또한, 한 점의 자비도 없었다.

"고… 스트."

그는 전장의 유령이었다. 보이지도 않고 잡히지도 않았다. 하지만 그가 희끄무레한 모습을 잠깐이나마 보이는 순간이면 수십의 용병들과 기사들, 그리고 마법사들이 목을 잃은 고혼이 되어 사라져 갔다.

그것은 공포였다.

죽음에 대한 원초적인 공포.

"죽음의 신이다! 죽음의 신이야!"

공포에 짓눌려 무기를 버리고 경배하는 듯한 자세를 취하는 자가 있었다. 그에 몇몇 기사들은 눈살을 찌푸렸다. 저런 심약한 자들은 전투에 하등 도움이 되지 않는다. 그에 빠르게 경배하는 듯한 자세를 취한 용병의 뒤로 다가가 검을 그어버렸다.

촤아아아악!

적에 의해 죽은 것이 아니라 아군에 의해 죽은 것이다. 기사는 죽은 용병의 머리를 움켜쥐어 들어 올리며 외쳤다.

"병신 같은 소리를 하는 새끼는 이 꼴이 날 것이다!"

쯔걱!

그 순간.

용병의 머리를 들어 올리며 외치던 기사의 몸에서 이상한 소리가 나더니 그대로 굳어졌다.

주르르륵!

기사의 전신을 방어하는 풀 플레이트 메일이 쩌억 벌어졌고, 그 벌어진 틈 속에서 핏물이 느릿하게 핏물이 흘러나왔다. 기사는 믿을 수 없다는 듯이 자신의 가슴을 바라봤고, 들고 있던 용병의 머리를 떨어뜨렸다.

그리고 그 기사의 전면에 누군가 모습을 드러냈다.

거대하고 투박하기 그지없는 대검을 한 손으로 들고 있는 자. 무표정하게 죽어가는 자신을 바라보는 자.

"너… 어……."

그때 그자의 어깨가 가벼운 나뭇가지 흔들리듯 흔들리는 느낌이 들었다.

서걱!

목이 베어져 허공에 떠올랐다.

아주 잠깐의 시간.

그 모습을 모든 용병들과 마법사들이 보았다.

"하, 항복……."

서걱!

항복을 하고자 했으나 상대는 항복을 받아줄 생각조차 없는 것 같았다. 발악을 하고 싶었다. 하나, 절대적인 무력을 가진 상대에게는 통하지 않았다. 공포에 짓눌리기 시작했고, 그들의 팔은 느려지고 있었다.

그들은 눈물을 흘리면서 싸우기 시작했다.

항복도 안 된다.

저항도 할 수 없었다.

무조건 싸워야만 했다.

그들은 죽음에 이르는 그 짧은 순간 깨달을 수 있었다.

자신들이 장난감처럼 가지고 놀다 죽인 이들의 느낌이 바로 이런 느낌이었다는 것을 말이다. 노예 상인들에게 고용된 용병들이나 기사들, 그리고 마법사들이 결코 정상적인 이들은 절대 아닐 것이었다.

자신보다 약한 자들을 죽이는 맛에 또한 사람을 통해 실험을 하기 위해 혹은 돈을 목적으로 아무런 감정조차 느끼지 않고 마치 동물을 학대하고 죽이는 듯 살아왔던 이들이었다. 그런 이들이 죽음에 이르는 순간 포식자가 아닌 피식자가 되어 고통에 몸부림치며 죽어갔다.

전장이 정리되는 것은 그야말로 순식간이었다.

아론이라는 절대적인 존재가 있기는 했지만 회색 오크들 역시 무시할 수 없었다. 선천적으로 강력한 신체 조건과 아론에 의해 담금질이 된 그들은 일반적인 용병들이나 기사 혹은 마법사들이 감당할 수 없었다.

그 모습을 멀찍이서 지켜보고 있던 쉼머해드와 티르는 그저 감탄에 젖은 탄성을 내뱉을 수밖에 없었다.

"허어~ 아예 보이지도 않는군."

"어떻게 저럴 수 있는지……."

"용병 단장도 단장이지만 부단장 역시 만만치 않군."

"그러게 말이야."

둘은 어느새 죽이 척척 맞아들고 있었다. 혹시라도 저들이 상대하고 있는 이들 중 생각이 조금이라도 있는 놈이 몰라 본진을 칠지 몰라 긴장한 채 전황을 살피던 둘은 맥이 탁 풀리고 있었다.

임페리움 용병단의 단장과 부단장, 그리고 그 둘을 따르는 용병들.

이들의 무력은 이미 그들이 상상하는 그 이상이었다. 도대체 저런 용병단이 어떻게 알려지지 않았는가? 하는 생각이 들 정도였다. 티르의 경우는 이미 백작의 성을 점령할 때 그들의 무력을 보았기에 조금 덜했지만 쉼머해드는 아니었다.

실상 쉼머해드는 임페리움 용병단의 무력을 지금 처음 보는 것이었으니까 말이다. 막연하게 강할 것이라는 생각과 직접 눈으로 본 상황은 전혀 딴판이었다. 그만큼 쉼머해드에게 임페리움 용병단의 무력은 충격으로 다가오고 있었다.

물론, 그 덕분에 티르와 쉼머해드는 지금까지 서먹서먹했던 감정이 사라지고 급속도로 가까워지고 있었다. 그리고 그런 경악을 넘어선 경외는 그들만이 아닌 그전투를 지켜보고 있는 이종족의 전사들이나 이종족들 역시 마찬가지였다.

전사들은 그들의 강력함에 경외의 시선을 가지고 있었고, 노예 상인에게 잡혀서 풀려난 비전투 인원들은 일말의 두려움을 가지고 있었다. 하지만 또 한편으로는 가슴을 쓸어내리고 있었다.

실로 대단하지 않은가? 저런 인간이 자신들을 보호해 준다니 말이다. 물론, 한편으로는 저러다 갑자기 돌아서서 자신들에게 해코지를 하지 않을까 하는 생각도 들기는 하지만 그것은 조금 억지에 가깝다고 생각되었다.

그동안 자신들을 대하는 것이나 최초에 그들에게 구함을 받은 이들의 말을 들어보면 다른 인간들처럼 살갑지는 않았지만 그 무뚝뚝함 속에 배려가 깃들어 있음을 잘 알고 실제 경험하고 있기 때문이었다.

지금과 같은 경우도 마찬가지였다. 누가 타인을 위해 스스로 불구덩이 속으로 뛰어들려 할까? 더군다나 같은 인간도 아닌 타 종족을 위해서 말이다. 또한, 지금과 같은 경우의 전투가 일어나면 자신들의 손해를 감수하면서 타 종족을 안전하게 대피 시키지는 않을 것이니까.

어쨌든 이번 전투로 인해 이종족들 사이에서는 아론에 대한 믿음이 더욱더 강해졌다고 할 수 있었다. 전사들은 경악을 넘어선 경외의 수준이었고 말이다. 그들이 그렇게 감탄하고 있을 때 전장은 점점 정리되고 있었다.

실로 눈 깜빡할 순간이라 할 수 있었다.

'대… 단하다.'

어둠을 더 어둡게 만들던 5천의 용병들이 순식간에 정리되었다. 단 한 명도 살아 돌아간 자들은 없었다. 물론, 아론은 그 중 기습을 한 용병들을 이끄는 듯한 자리에 있는 이들 몇 명을 사로잡았고, 그들에게 어떻게 된 일인지 심문하는 것을 잊지 않았다.

"바벨의 탑?"

"그, 그렇습니다."

창백한 얼굴의 마법사가 연신 굽실거리며 입을 열었다. 자유 마법사인줄 알았다. 그런데 이 마법사가 상당히 중요한 정보를 전해주고 있었다. 바로 이종족의 노예들 중 대부분이 바벨의 탑으로 팔려 간다는 것이었다.

'그것의 불의 탑으로 말이지.'

아론은 그 마법사의 말 속에서 한 가지의 단서를 찾아낼 수 있었다.

'불의 탑의 현자가 검은색 구슬의 주인이런가?'

단순한 사실의 겹치고 겹쳐 기어코 하나의 결론을 도출해 내게 만들었다.

흑염화와 노예 상인들과 이종족의 노예.

그리고 화염 마법사들.

그 순간 이종족 노예에 대한 정보를 발설한 자유 마법사의 얼굴에서 핏줄이 툭툭 붉어지는 것을 지켜봤다. 이것은 자신의 고문에 의한 것이 아니었다.

"끄으으으!"

답답하고 괴로운 신음성을 내는 자유 마법사.

그런 자유 마법사의 눈동자가 검게 물들어 갔다. 그러다 기괴한 미소를 떠올리며 과연 인간의 목소리인가 싶을 목소리가 흘러나왔다.

"크흐흐흐. 드… 디… 어… 찾. 았. 다!"

"……."

아론은 말없이 기괴하게 괴물처럼 변해버린 자유 마법사를 잠시 말없이 바라보다 입을 열었다.

"누구냐."

"흐으… 흐으… 흐으… 기… 다… 려… 라."

하지만 자신의 할 말만 하는 자유 마법사.

"끄흐으으… 으아아아악!"

퍼버버버벅!

비명을 지르며 참혹한 비명을 지르며 머리가 터져 버리는 자유 마법사. 그 모습을 물끄러미 바라보는 아론.

"무슨… 일인가?"

"누군가가 이 마법사에게 장난을 친 것 같군."

"장난이라면… 이 마법사가 그렇게 중요한 인물이었다는 건가?"

"아니. 그냥 쓰다 버릴 소모품일 뿐이었다."

"그런가? 심성이 사악한 자였던 모양이군."

"그래."

"그래서 알아낸 건?"

"이종족 노예 중 상당수를 바벨의 탑에서 구입한다고 하더군. 그 중 불의 마탑이 가장 많은 수의 이종족을 구입하고 말이지."

"불의 마탑이라… 생각나는군."

그레이는 잊지 않고 있었다.

이글거리는 푸른 불꽃을 뿜어내던 과거의 인간 마법사를 말이다. 회색 오크 일족을 이렇게 만든 결정적인 존재를 말이다.

"나도 놈에게 빚이 있거든."

"그런가? 잘 됐군."

CHAPTER 5
쿠테란 마을

그 이후 몇 번의 기습이 있었다. 하지만 그 기습은 이종족의 행렬에 어떤 타격도 주지 못했다. 여전히 밤을 이용해 이동을 하고 있기는 했지만 몇 번의 기습 이후는 안전하고 빠르게 이동할 수 있었다.

과연 기본 체력이 인간보다 훨씬 우월한 이종족이었다. 이동하면서도 꾸준하게 체력을 회복했고, 어느 순간부터는 어린 아이조차도 성년의 인간보다 빠르게 이동할 수 있었다. 그러나 몇 번의 기습 때문에 예상보다 약간 늦게 쿠테란 마을 인근까지 접근할 수 있었다.

"저긴가?"

"그래."

아론의 물음에 감회가 새롭다는 듯이 답을 하는 쉼머해드였다.

"생각보다 크군."

"이종족의 용병들이 모두 모여 있으니까."

"그런가?"

그냥 보기에도 그럴싸해 보였다.

마을이라고 하기보다는 울창한 숲이라고 해도 과언이 아닐 정도였다. 마을 주변으로 빼곡하게 둘러싼 아름드리나무와 그 가운데 수없이 많은 생명이 기운이 아론의 감각에 잡혔기 때문이었다.

보통 사람이라면 그저 하나의 숲이라고 생각할지 모르지만 아론이나 그레이, 혹은 티르에게는 보통의 사람과는 전혀 다르게 전해져 왔다. 사실 소드 마스터인 티르조차도 조금 이상한 숲이라고 생각할 정도의 규모였다.

아론과 쉼머해드의 대화 속에서 쿠테란 마을이 외부로부터의 침입을 막고, 자신들만의 생활을 영위하는 공간을 만들고자 숲을 생성했다는 것을 알 수 있었다. 그리고 소드 마스터인 자신조차도 아무런 의심이 들지 않을 정도로 자연스럽게 말이다.

"대단하군."

"아무래도 그들의 삶과 연결이 되어 있을 터이니까."

티르의 감탄에 그레이가 심드렁하게 답을 했다. 이곳으로 오는 동안 티르와 그레이는 상당히 친해져서 종종 말을 섞기도 했다. 인간은 나이가 들면 말이 많아진다. 아무리 젊었을 때 과묵했던 사람이라 할지라도 말이다.

티르 역시 그 범주에서 벗어나지 않았던지 쉼머해드와 그레이까지 기어코 친구로 만들어 놓고 있었다. 하지만 아론과 있을 때는 조금 조심을 했다. 말이야 아론과 자신이 친구라고 하지만 어떻게 보면 은연중에 이 무리를 이끌고 있는 수장의 역할을 하고 있는 아론이었다.

그리고 우두머리의 역할을 너무나도 잘 알고 있는 티르가 아무리 친구라 하지만 여러 사람이 뒤섞여 있는 곳에서까지 친구임을 자처하지는 않았다. 공과 사를 확실하게 구분할 줄 안다는 것일 게다.

어쨌든 티르는 이종족 용병들의 마을을 보면서 감탄을 할 수밖에 없었다. 그때 그의 허리를 툭툭 건드리며 걸걸한 쉼머해드의 목소리가 들려왔다.

"그만 놀라고 가자고."

"그래. 어디 이종족의 마을은 어떤지 잔뜩 기대가 되는군."

"기대해도 좋아. 저렇게 하나의 숲처럼 보여도 완전히 다른 별 세계가 펼쳐질 것이니."

그렇게 두런두런 이야기를 하며 이제 다 왔다는 생각에 그리고 더 이상의 기습은 없고 안전하다는 생각에 느긋하게 걸음을 옮기는 이종족들이었다. 그들이 쿠테란 마을에 거의 다 가왔을 때 숲속에서 길이 열리며 일단의 인물들이 그들을 향해 달려왔다.

가장 앞에 선 자는 역시 이종족 중에서 전투에 특화 된 종족인 호족 중의 한 명이었다.

"기다리고 있었다."

"우리를?"

"그래."

"그런가?"

순간 아론은 깨닫는 바가 있었다. 그는 자신도 모르게 숲 안 쪽을 바라봤다.

'이곳이 또 다른 구슬이 있었던 건가?'

그 역시 알고 있었다. 하지만 확신하지는 못하고 있었다. 이 대륙에 퍼져 나간 구슬들은 한 몸에서 나온 구슬이었다. 그래서 서로를 인지하고 끌어당긴다. 아론 역시 기를 쓰고 쿠테란 마을로 향하려는 이유가 바로 거기에 있었다.

하지만 확신하지는 못하고 있었다. 분명 어떤 강력한 존재가 이종족의 마을에 있을 것이란 느낌을 가지고 있었을 뿐.

그것도 최근 자신이 받아들인 세 개의 구슬의 능력을 완벽하게 자신의 것으로 만든 이후에나 가능한 것이었다.

과거 이 쿠테란 마을과 인근한 우든 마을에 있을 때에도 느끼기는 했지만 이렇게 강력한 이끌림을 가지지는 못했다. 그 이유는 이미 아론의 능력이 절정 이상에 도달했다는 것을 의미하는 것일 게다.

세 개의 능력이 하나가 되어 서로 시너지 효과를 일으키고 있음이 분명했다. 어쨌든 아론은 이미 짐작한 대로이기에 별다른 말없이 호족 대장의 말에 고개를 끄덕일 뿐이었다.

"반갑다. 샤이칸."

"오~ 쉼머해드로군. 그런데……."

"이들이 구해낸 동족들이다."

"그… 렇군."

실제 족장에게 듣기는 했다. 손님이 올 것이라고. 그리고 그 손님은 동족과 함께 이곳으로 올 것이라고 말이다. 워낙 뛰어난 능력을 가지고 있는 족장이기에 당연히 믿고 있었다. 하지만 수가 이렇게 많을지는 몰랐다.

호족도 있었고, 드워프, 노움, 엘프 심지어는 묘족에 요정족까지 있었다. 실로 다양한 집합체와 같은 그들. 처음 약간의 경계심을 가지고 있던 쿠테란 마을의 자경 대장 샤이칸은 이내 경계심이 허물어지는 것을 느낄 수 있었다.

"고맙다고 해야 하나?"

하지만 그의 입에서 나오는 말은 여전히 투박했다.

"그 말을 듣자고 이들은 구한 것은 아니다."

그에 아론의 입에서 나오는 말도 비슷했다. 서로 남성성을 자랑이라도 하듯이 말이다. 솔직히 웃기지도 않는 기세 싸움 정도일 것이다.

"이대로 둘 텐가? 지금 이들은 상당히 지쳐 있다."

"그런가? 미안하군."

그러면서 안내를 시작하는 샤이칸. 그에 숲에서 난 길이 조금 더 넓어졌다. 7천이라는 수를 한꺼번에 수용할 수 있을 정도로 말이다. 아론이 이끌고 온 이종족들은 그야말로 희색이 돌고 있었다.

마치 고향에 돌아온 것 같은 그런 얼굴이었다.

"이야~ 물푸레 나무다."

"우와~ 은초롱이다."

"허허허. 이곳에서 고향의 냄새를 맡을 수 있다니……."

그들은 연신 숲속으로 난 길을 따라 움직이면서 감탄을 했다. 마치 이곳은 자신의 고향을 그대로 옮겨 놓은 것 같았다. 호족이면 호족대로 드워프족이면 드워프족대로 묘족이면 묘족대로 말이다.

그들의 얼굴에는 어느새 경계라는 것은 찾아볼 수 없었고,

푸근한 미소와 함께 지금까지 힘들고 어려운 역경을 까맣게 잊어버린 것처럼 행동했다.

그리고 마침내 그들의 눈앞에 펼쳐진 광경.

그들은 탄성을 내지를 수밖에 없었다.

아론 역시 놀란 눈을 할 수밖에 없었다.

'이건 그냥… 별천지로군.'

별천지.

그 말이 딱 맞았다.

밖과는 전혀 다른 곳이었다.

이곳에는 사계절이 함께 존재했다.

드워프의 철광석 산이 존재했고, 설족의 얼음 동굴이 존재했으며, 호족이나 묘족의 월령수가 존재했으며, 엘프의 세계수조차 존재하고 있었다. 그러니 별천지라 하지 않을 수 있겠는가? 모든 이종족이 어울려 살고 있었다.

그리고 그 모든 종족이 한데 모여 있었다. 그 중심에는 녹안에 녹발 그리고 눈처럼 새하얀 피부를 가지고 보는 사람을 시원하고 차분하게 만들어주는 모습을 한 여왕과 같은 존재가 있었다.

"어서 오세요."

"기다리셨습니까?"

평소의 아론의 모습과는 다른 모습으로 그 여왕과 같은 존재를 대하는 아론.

"쿠테란 이종족 마을을 대표하고 있는 유리피네스 아르나파른 바시드 멜로즈 호샬린 실 료스알브라고 합니다."

"그……."

너무 긴 이름에 아론이 잠시 머뭇거렸다. 그에 스스로 유리피네스 아르나파른 바시드 멜로즈 호샬린 실 료스알브라고 소개한 엘프는 설핏 미소를 떠올리며 입을 열었다.

"너무 길죠? 그냥 유리피네스라고 부르세요."

"헛험! 반갑습니다. 유리피네스……."

"족장이지요."

"유리피네스 족장님. 임페리움 용병단의 단장인 아론이라고 합니다."

"간단해서 좋네요."

"이름이란 자고로 부르기 쉽고 기억하기 쉬운 것이 최곱니다."

"그 말에 심히 공감해요. 가끔 저도 제 이름과 성을 잊어버릴 때가 있어서요."

시무룩하게 답을 하는 유리피네스 족장.

"아니. 그건 아니고……."

전혀 아론 같지 않은 태도. 그 누구에게도 이런 태도를 보인 적이 없었던 그였다. 그에 그레이는 슬쩍 아론의 그런 태도를 보며 이상하다는 듯이 고개를 갸웃거렸다. 그가 왜 이런 태도를 보이는지 몰라서 말이다.

"괜찮아요. 다 알고 있는 사실인데요. 뭐."

그러면서 상큼한 미소를 떠올리는 유리피네스 족장.

"아! 그리고 이쪽 분은 대지 일족이시군요."

그에 살짝 놀라는 그레이.

그동안 자신을 알아본 자는 아무도 없었다. 또한, 자신의 종족을 대지의 일족이라고 불러주고 인정해 주는 이조차 없었다. 그런데 생전 처음 보는 이가 자신을 대지 일족이라고 말을 하니 놀라지 않을 수 없었던 것이다.

"그것을 어떻게……."

"괜히 1만이 넘어가는 이종족을 대표하는 족장이 된 것은 아니니까요. 그리고 이곳에는 바바리안 종족도 있어요. 그들과는 엄연히 다른 마나를 품고 있는데 어찌 모를까요."

"우리를… 인정하시는 겁니까?"

어느새 그레이조차 말을 올리고 있었다.

"원죄라고 하죠. 어떤 종족이든 원죄를 가지고 태어나게 되어 있습니다. 원죄에서 벗어날 수 있는 유일한 방법은 현세를 어떻게 살아가야 하느냐에 따라 달라지는 것입니다. 짐승처럼 사느냐 혹은 지성체로서 사느냐. 제가 보기에 귀하께서는 이미 지성체로서의 삶을 선택한 것 같군요."

"제가… 허물을 벗어도 되겠습니까?"

"상관없지 않을까요?"

그녀의 허락이 떨어지자 그레이는 얼굴을 감싸고 있던 마법 면구를 벗어내기 시작했다. 그리고 드러난 얼굴. 그녀를 제외한 모든 이들의 얼굴이 경악에 찬 모습이 되었다. 어떤 종족은 노골적으로 적대적인 표정을 어떤 종족은 두려움에 움찔하는 모습을 보였다.

"다시 소개합니다. 회색 오크 일족의 대족장이었던 카툼이라고 합니다. 이렇게 숲의 일족인 하이 엘프를 만나게 되어 영광입니다."

그는 두툼한 주먹으로 자신의 왼쪽 가슴을 가볍게 두드리면서 입을 열었다. 대족장이 아니라 대족장이었던 이었으니 현재 자신의 처지를 확실하게 인지하고 있다는 것을 의미했다.

"역시… 북쪽 숲에서 심상찮은 기운이 감지되더니 결국 그렇게 된 것이로군요. 허면……."

"아마도 머지않아 커다란 재앙이 닥치지 않을까 합니다."

"아~"

카툼의 말에 나직하게 탄성을 지르는 유리피네스. 그녀는 잠시 눈을 감았다. 그리고 눈을 뜬 이후 자신의 실책을 알아차린 듯 입을 열었다.

"이런 제가 손님을 두고 실책을 저질렀군요."

자신의 실책을 깨달았다.

"저들을 각 종족이 머무는 곳으로 이끌도록 하세요."

"알겠습니다."

자경대장 샤이칸이 답을 했다. 그의 말이 떨어지자 여러 종족이 순서대로 자신의 종족을 이끌고 숲속으로 사라졌다. 그 모습을 지켜보고 있던 유리피네스는 아론에게 입을 열었다.

"우린… 서로 할 말이 많은 것 같군요."

"그렇군요."

"그리고 언제까지 가면을 쓰고 계실 건가요?"

그건 아론에게 한 말이 아니라 카툼에게 한 말이었다. 카툼은 자신의 휘하에 있는 2천의 오크들과 함께 들어온 상황이었다.

"하지만……."

"괜찮아요. 다들 인정하고 있는 부분이니까요. 이래 보여도 족장이라니까요."

"유리피네스님."

샤이칸이 걱정스럽다는 듯이 입을 열었다.

"괜찮다니까 그러네요. 여기 아론님이 마음만 먹는다면 이깟 쿠테란 마을은 흔적도 없이 사라질 걸요? 그리고 카툼 님은 이미 아론 님을 깊이 마음에 새기고 있어요. 그리고 카툼

님을 따르는 저분들도 과거의 회색 오크가 아니고요."

"하지만……."

"또. 또. 또. 샤이칸 님은 너무 걱정이 많아서 탈이에요. 제가 걱정하는 것은 혹시라도 샤이칸 님 휘하의 호족 분들이 그 성정을 참지 못할까 두려워요."

"어이 그런 말씀을……."

"괜찮아요. 그렇죠?"

그러면서 아론을 바라보는 유리피네스.

"아, 뭐… 그. 그렇죠."

"거 봐요. 아론 님도 괜찮다고 하잖아요."

"끄응! 알겠습니다."

"카툼 님 뭐하세요?"

"알겠습니다."

그러면서 수하들에게 손짓을 하는 카툼. 그에 수하들은 지체 없이 마법 면구를 벗었다. 그리고 드러난 모습은 회색 오크 모습 그대로였다. 그 모습을 본 호족들은 그들에게 숨길 수 없는 호승심을 드러냈다.

카툼은 슬쩍 샤이칸을 바라보며 입을 열었다.

"어때? 좋은 상대가 될 것 같은데 말이지."

"좋군, 좋아. 연무장은 마련이 되었는데 어떤가?"

"좋지."

"피곤하지 않나?"

오히려 상대를 걱정하는 샤이칸. 도대체 상황이 어떻게 돌아가는 것일까? 눈을 동그랗게 뜨고 그 상황을 지켜보던 유리피네스 족장은 이내 상큼한 미소를 떠올렸다. 이미 알고 있었던 것이다.

두 종족은 상대에 대한 순수한 호기심이 일고 있다는 것을 말이다. 호족이나 오크족이나 선천적인 전투 일족이었다. 강한 상대를 보자 곧바로 강력한 호승심이 발동한 것일 게다. 나쁜 결과는 절대 아니었다.

오히려 이렇게 함으로써 그들은 서로를 인정하고 더욱 빠르게 가까워질 수 있을 것이니 말이다. 그리고 타고난 오크족이 쿠테란 마을로 편입된다면 그야말로 금상첨화이지 않겠는가?

"두 종족은 잊어버려도 될 것 같군요."

"그렇군요."

"일단 가시지요. 손님을 이렇게 세워두는 것은 예가 아닐 테니까요."

"……."

말없이 고개를 끄덕이는 아론과 그를 뒤로 하고 걸음을 옮기는 유리피네스 족장이었다. 그녀로부터 반 걸음 정도 뒤에서 따르는 아론은 때마침 불어오는 바람이 그녀의 상큼하고도 향긋한 내음을 전해주자 자기도 모르게 심장으로 그 내음을 느꼈다.

'이건 뭐…….'

내심 아론 역시 당황스러웠다. 대체 이게 뭐지? 하는 생각이 들었다. 살짝 평정심이 깨지는 것 같았다.

'쯧.'

그게 마음에 들지 않았다.

어쨌든 원래의 무표정으로 돌아왔다. 아니 그렇게 보이려고 무던히도 애를 쓰고 있었다. 그리고 마침내 그녀 개인이 머무는 곳으로 도착해 탁자에서 마주한 채 앉아서 차를 음미했다. 상큼하고 달달하고 또한 담백했다.

도저히 어울릴 수 없는 맛이 한꺼번에 혀와 함께 놀아나는 것 같았다.

"음……."

그의 입에서 묵직한 신음이 흘러나왔다.

"맛있죠?"

"그… 렇군요."

"이 차를 만들어내느라 고생 좀 했어요."

"그랬을 것 같군요."

"알아주시니 고마운데요?"

"그런가요?"

단답형으로 답을 하는 아론의 모습에 재미없다는 듯이 코를 찡긋해 보이는 유리피네스 족장.

"한데……."

"이미 알고 계실 거예요."

이미 아론이 무슨 말을 하려는지 알고 있다는 듯이 말을 하는 유리피네스 족장.

"제가 가진 이 힘. 폭풍우가 내려치던 어느 날 홀연히 찾아든 힘이지요."

"그런가요?"

"그래요. 그런데 이 힘은 언제나 무언가를 갈구했어요. 이미 한 분야에서는 최고의 경지에 올랐음에도 불구하고요."

"……."

아론은 찻잔을 만지작거리면서 계속 듣기만 했다. 그때 유리피네스 족장은 비어버린 아론의 찻잔에 여전히 온기가 남아 있는 찻물을 부어주며 말을 계속했다.

"그리고 이 힘이 절정에 이르렀을 때 알게 되었어요. 이 힘은 여러 개였으나 하나로 합쳐졌고, 다시 여러 개로 갈라졌으나 서로를 그리워하고 있다는 것을 말이지요. 그래서 완벽에 가까워지고 싶다는 것을 알게 되었지요."

그리고는 아론을 빤히 쳐다봤다.

딸깍!

아론은 마시던 찻잔을 내려놓으며 그녀를 바라보다 무겁게 고개를 끄덕이며 나직하게 입을 열었다.

"과거 수없이 많은 차원 속에서 살아가는 한 사람이 있었습니다. 그는 현자였지요. 하지만 그는 욕심이 많았습니다. 인간의 궁극을 보기를 원했지요. 그러다 그는 알게 되었습니다. 이 세상에는 수없이 많은 차원이 있고, 그 차원에는 또 다른 자신이 있었으며, 그 자신은 각자의 힘을 가지고 있다는 것을요."

"……."

이번에는 유리피네스 족장이 말없이 찻잔을 만지작거리며 아론의 말을 경청했다.

"처음엔 기뻤습니다. 자신이라는 존재가 전 차원에 있다는 것에 말이지요. 그러다 문득 그는 생각했습니다. 만약 전 차원의 자신이 하나가 된다면 어떻게 될까? 이미 힘을 가지고 있던 그는 그 생각을 실천에 옮기게 됩니다."

"디멘션 게이트를 연 것이로군요."

"그렇지요. 그리고 그는 차례차례 또 다른 차원의 자신을 흡수하기 시작했습니다. 그 결과가 바로 일곱 개의 구슬이지요. 그리고 그 와중에 이곳으로 왔습니다."

"당신을 만난 것이로군요."

"그가 방심하지 않았다면 나 역시 이곳에 있을 수 없었을 겁니다.”

“그렇군요. 우리는… 당신에게 고마워해야 하는군요.”

“꼭 그렇지만도 않지요. 알고 계시겠지만…….”

“일곱 개의 힘에는 각기 다른 힘이 담겨져 있었죠. 그 중 저는 자연의 힘을 담은 녹색 구슬을 얻었어요. 당신은… 한 개가 아닌 것 같네요.”

“세 개입니다.”

“역시… 마지막이자 이 차원에서는 최초의 조우자이기 때문인가요?”

“그렇다고 할 수 있죠. 만약 그때 내가 강했더라면 일곱 개의 구슬을 모두 추스를 수 있었을지도 몰랐고, 지금의 상황이 되지 않았을지도 모릅니다.”

“그럴 수도 있겠지만 그러지 않을 수도 있지요. 일곱 개의 힘을 가진 당신이 현세의 마왕이 되지 말라는 법도 없고, 전 차원에 널려 있는 자신을 흡수하려는 자의 생각을 이을 수도 있는 것이니까요.”

“그렇겠지요. 하나, 어쨌든 지금의 상황이 나로 인해 촉발되었다는 것은 부정할 수 없는 사실입니다.”

“그래서… 홀로 모두 짊어지겠다는 것인가요?”

“그러기에는 판이 너무 커졌습니다.”

“그렇긴 하네요. 인간만 존재하는 세상도 아니고…….”

"그래서 찾아다니고 있습니다."

"찾기는 했나요?"

"족장님이 처음이로군요."

"이거 영광인데요?"

"영광까지는……."

죽을지 살지 모르는데 영광이라는 정신 체계가 좀 이상하다는 생각이 드는 아론이었지만, 그런 생각을 겉으로 드러내 보일 정도로 가벼운 사람은 아니었다. 아니 떠올릴 때보다 훨씬 빠르게 지워 버렸다.

마치 상대에게 그런 생각이 들킬 것 같은 생각에서였고, 왠지 그녀의 순수함에 대한 자신의 생각이 너무 속물처럼 느껴지는 것 같아서 말이다. 그런 아론의 생각을 읽은 건지 아닌지 몰라도 유리피네스 족장은 픽 웃음을 흘렸다.

"그래서 앞으로 어떻게 하실 생각인가요?"

"힘을 길러야지요."

"그 일환으로 쿠테란 마을을 찾으셨고요?"

"그렇습니다."

"좋아요."

너무나도 선선하게 승낙을 하는 유리피네스 족장. 그 태도에 오히려 아론이 당황할 정도로 빠른 판단이었다.

"아무 생각 없이 결정을 내린 것은 아니에요. 이미 당신과

나. 인간과 이종족은 하나의 거대한 힘에 의해 한 배를 탄 입장이기 때문이에요. 당신도 느끼고 있죠?"

"무엇을……."

"당신과 나. 네 개의 구슬. 그리고 남은 세 개의 구슬. 그 중 한 구슬의 힘이 강대해지고 있다는 것을 말이지요."

"알고 있었소?"

"일곱 개의 구슬은 서로 견제하지만 한편으로는 동질감을 가지며 끊임없이 서로를 갈구하니까요."

"음……."

이것은 결코 좋은 일이 아니었다. 상대방의 힘이 강대해졌다는 것은 스스로 깨달음에 의해 강대해진 것일 수도 있지만 지금의 경우는 그렇지 않았다. 갑작스럽게 힘이 증폭된 것이었기 때문에 그것은 누군가의 힘을 흡수했다는 것을 의미했다.

그리고 지금의 상황은 갑작스럽게 증대한 힘을 자신의 것으로 만들기 위해 잠시 동안 정체되어 있는 것일 뿐이었다. 그래서 아론은 세력화를 서두르고 있는 것이었다. 그는 본능적으로 강력한 힘을 가진 존재가 결코 아무렇지도 않게 지나갈 것이라고 생각하지 않았다.

야망이 느껴지고 공포와 어둠이 느껴지고 있었다. 그 공포와 어둠의 힘은 이 세계를 피의 구렁텅이라 빠뜨리게 할 것이라는 것도 느껴지고 있었기에 세력화를 서두르는 것이고, 자신을 지원할 우호적인 세력이나 개인을 만들어 나가고 있는 것이었다.

그 와중에 아론은 하나의 의문이 들었다.

자신은 이 힘을 얻은 후 5년이라는 시간이 걸렸다. 하지만 대륙을 잠식해 들어가고 있는 힘은 결코 5년 만에 만들어질 정도의 세력이 아니었다. 그래서 잠시 의문이 들었다.

'과연 그 힘이 동시대에 전해졌을까?'

아무리 강대한 권력과 힘을 가지고 있다고는 하나 불과 5년 만에 이뤄질 일이 절대 아니었으니 남들이라면 그냥 흘리고 지나갔을 일을 꼬리를 잡고 의문을 가지기 시작했고, 마침내 하나의 가설을 세우기에 이르렀다.

"실례지만 그 힘. 언제 각성했는지 알 수 있습니까?"

"뭐 실례도 아니지요. 20년 전이에요."

"20년?"

아론의 눈썹이 꿈틀거렸다. 그에 유리피네스 족장 역시 뭔가 이상함을 느꼈는지 아론에게 되물었다.

"당신은?"

"5년 전이오."

"그럼……?"

"5년 전 나를 만난 다른 차원의 내가 죽으면서 일곱 개의 구슬이 각자 다른 시간대에 다른 인물에게 전해졌다는 것을 의미하오."

"어떻게?"

"그걸 알면 난 전지전능한 신이지 않겠습니까?"

"이미 동시대가 아닌 시대에 각자의 힘이 전해졌다는 것을 아는 것만으로도 전지 같은데요?"

"조금만 생각해보면 알 일입니다."

"그런데 왜 난 생각하지 못했을까요?"

"그건 당연하다고 생각했기 때문일 겁니다."

"당연하다?"

"누가 동시대에 나타난 힘이 시간차를 둔 채 흡수된다고 생각을 하겠습니까."

"흠. 그런데 당신은 생각했잖아요."

"나는 세 개의 힘을 받았습니다."

"그렇죠."

"그 중에는 이 세계에서는 생각지도 못할 지식을 가진 존재도 있었습니다."

"흐음. 그런가요? 어쨌든 당신이 뛰어나다는 말이네요."

"그건……."

당황하는 아론을 보며 픽 웃어 보이는 유리피네스 족장이었다.

"사실에 당황하지 마세요. 당신은 그럴 만한 충분한 힘이 있어요. 그리고 각자의 힘이 어떻게 되었든 간에 당신이 가장 뛰어나죠. 그 이유는 시간과 공간을 뛰어 넘어 전달된 다른 힘은 많은 것들을 소모하면서 전해졌지만 당신은 아니기 때문이죠."

"그 말은 시공간을 뛰어넘으면서 많은 것들이 사라졌다는 것입니까?"

"그렇지 않을까요? 시공간을 뛰어넘는 것이 널뛰듯 간단한 것도 아니고 말이에요. 실제로 난 아직도 그레이트 마스터에 7서클의 마도사죠. 엘프이기에 마법에 대한 조예가 깊었다고 하지만 검까지 마스터에 오를 정도는 아니죠."

"대단하군요."

"내가 대단하다는 것을 자랑하기 위해 한 말은 아니에요. 20년이에요. 그 힘을 받고도 말이죠. 그리고 지금은 정체되어 있죠. 마법 역시 녹마법에 한정되어 있고, 검 역시 자연을 기반으로 둔 검술일 뿐이죠. 하지만 당신은 달라요."

"다르지 않습니다."

"아니 달라요. 당신은 불과 5년 만에 지금의 경지에 올랐어요. 다른 이들은 당신을 어떻게 볼지 모르겠으나 당신은 그랜드 마스터를 뛰어넘었어요."

"그건……."

"사람들은 그것을 무한의 주인이라고 하지요. 인피니티 마스터요."

"짐작인 겁니까?"

"저는 한쪽에 치우치기는 했지만 어쨌든 마검사예요. 거기에 이종족들만이 가질 수 있는 진실의 눈이 극한으로 발달했죠. 보통이라면 당신의 수준을 가늠할 수 없겠으나 진실의 눈과 남들보다 뛰어난 경지의 마검사이기에 알 수 있었어요."

"그래서……."

"당신을 맞아들인 거예요. 지금과 같은 상황을 바꾸고, 어둠과 공포가 실체가 되는 것을 막아낼 수 있는 존재는 당신뿐이니까요."

"……."

아론은 말없이 유리피네스 족장을 바라봤다.

"그렇게 뚫어지게 바라봐서 어디 얼굴이 닳겠어요?"

"크흠."

장난 같은 유리피네스 족장의 말에 아론은 헛기침을 한 후 여전히 무심함을 가장한 표정으로 입을 열었다.

"쿠테란 마을의 모든 용병들이 임페리움 용병단에 소속되어야 합니다."

"저야 당장에라도 그렇게 하고 싶지요."

"문제가 있소?"

"대외적으로 저는 족장이지요. 인간들이 생각하는 범주에서 제가 이끌고 있으니 결정하면 따라야 하겠지만 이종족은 조금 더 이성적이고 냉정해서 족장이 결정한다 해도 스스로 납득하지 않으면 내 말에 대해 거부할 권리를 가지죠."

"다른 이들을 내가 꺾어야 한다는 말이로군."

"역시 바로 알아들으시네요."

"보통 다 그렇지 않습니까? 특히 용병이라면 말입니다."

"그런가요? 난 당신만 그렇게 특별한 줄 알았어요."

"특별한 것이 아닙니다. 용병들은 모두 그렇습니다."

"그래요? 그런데 난 왜 한 번도 못 봤을까요?"

"인간들과 교류가 없었기 때문일 것 같습니다."

"흐응. 그건 동의할 수 없군요. 제가 인간 세계에서 지내온 시간만도 50년이 넘었으니 말이지요."

팔짱을 끼며 인정할 수 없다고 강변하는 유리피네스 족장.

"어쨌든 그들의 동의를 얻어야 한다는 것이 맞습니까?"

"그래요."

유리피네스 족장의 말에 말없이 이제는 다 식어버린 찻잔을 들어 올리는 아론. 하지만 이미 다 마셔 텅 빈 찻잔이었다. 아론은 슬그머니 찻잔을 내려놓았고, 유리피네스 족장은 말없이 차를 채워줬다.

"언제쯤 가능할 것 같습니까?"

"오늘은 쉬시는 것이 좋지 않을까요?"

"하지만 그게 쉽지는 않을 것 같아서 그럽니다."

"그건 그러네요."

그러면서 자리에서 일어나는 유리피네스 족장의 모습에 아론은 잠시 찻잔을 바라보며 망설이다 김이 모락모락 나는 차를 단숨에 들이켰다. 뜨거운 느낌이 목줄기를 타고 심장까지 이르는 것 같았다.

그런 그를 스쳐 지나가며 유리피네스 족장은 나직하게 한숨을 쉬며 독백을 했다.

"뜨거울 텐데……."

"크으음."

너무 명확하게 들려오는 그녀의 독백을 듣고 아론은 마치 아무 일도 없었다는 듯이 그녀를 스쳐 먼저 문을 열고 나섰다. 그런 그의 등 뒤를 바라보며 미묘한 미소를 떠올리는 유리피네스 족장이었다.

"……."

무언가 나직하게 웅얼거리는 유리피네스 족장이었지만 어느 누구도 그녀의 말은 듣지 못했다.

그러기에는 너무 작게 속삭이는 듯한 말이었으니까. 그리고 이미 저만치 성큼성큼 걸어가고 있는 아론이었기 때문이었다. 그런 그가 걸어가는 곳은 역시 거의 폭음에 가까운 소리가 나고 있는 쿠테란 마을의 연무장이었다.

그곳에는 이미 많은 용병들이 운집해 있었다.

콰아아앙!

다시 한 번 폭음이 들려왔다.

"다음!"

연무장의 중앙.

거대한 회색 동체를 가진 자가 서 있었다.

그는 다름 아닌 바로 카튬이었다.

이미 여러 번의 대련을 겪었던지 연무장의 한쪽 편에는 구겨지듯 쓰러져 있는 이종족 전사들이 보였다. 하지만 카튬의 표정은 여전히 무표정이었고, 숨조차 거칠어지지 않고 있었다. 그것을 바라보는 자경대장이자 부족장 중의 한 명인 샤이칸은 내심 침음성을 흘리고 있었다.

'강하다!'

강했다.

상상 이상으로 말이다.

샤이칸 그 자신 역시 이미 마스터에 올라 있었다. 그리고 부족장이자 각자의 직책을 가지고 있는 모든 이들이 대부분 마스터에 올라 있었다. 뭐 물론, 샤이칸이 자경대장이라는 직책으로 실질적으로 무력을 투사할 수 있는 최고의 정점에 올라 있기는 하지만 어쨌든 자신을 제외하고도 자경대원들 역시 무시할 수 있는 실력은 절대 아니었다.

같은 등급이라 할지라도 호족의 전사들은 인간의 기사 두 세 명은 능히 감당할 수 있을 정도로 타고난 전사였다. 그런데 이게 도대체 뭐란 말인가? 형편없이 당하고 있었다. 그것도 단 한 명에게 말이다.

샤이칸은 전신의 피가 뜨거워짐을 느꼈다. 그때 누군가 나서려 했으나 샤이칸의 제지로 나서지 못했다. 슬쩍 샤이칸을 바라보는 자. 그를 자경대의 2인자인 구르카였다. 그 역시 피가 뜨거워진 것이었다.

그때 그들의 귀에 들려오는 나직한 목소리.

“둘이 함께 와도 좋다.”

그에 둘의 시선이 카툼에게로 향했다.

“당신의 실력은 충분히 보았소.”

“그런데?”

“하나, 전투는 당신 혼자 하는 것이 아니오.”

“그래서?”

“애초에 이 자리는 당신이 나설 자리가 아니라는 것이오.”

그에 카툼은 송곳니가 훤히 드러나도록 웃으며 입을 열었다.

“얕은 수를 쓰는군.”

“하지만 사실일 거요.”

"그렇지 사실이지. 전투는 나 혼자 하는 것이 아니니까. 그래서 내 수하의 실력을 보고 싶은 건가?"

"그렇소. 당신의 강함은 충분히 경험했으니 말이오."

"그것도 괜찮은 생각이군."

그러면서 뒤로 물러났고, 카툼의 활약에 뜨거워진 피를 식힐 곳을 찾고 있던 오크들도 희색이 만면했다. 그들 역시 타고난 전투 종족이었기 때문이었다.

"한 명씩 하는 것도 재미있지만 다수는 어떤가? 귀찮은데 말이지."

"그것도 좋지."

일 대 일도 좋지만 다수 대 다수도 나쁘지 않았다. 아니 오히려 뜨거워진 피를 식히기에는 딱 좋았다. 그에 몇 명의 호족이 앞으로 나섰고, 회색 오크들 역시 앞으로 나섰다. 인사 따위는 없었다.

그런 것 따위는 아무런 의미가 없었기 때문이었다.

"굉장하군요."

"별로……."

그런 아론의 말에 피식 웃어버리는 유리피네스 족장.

"저런 대단한 전사들을 수하로 두고 있으면서 답하는 말 치고는 너무 형편없는데요."

"더 강해져야 합니다."

"얼마만큼요?"

"싸워서 죽지 않을 만큼."

"그 말 아세요?"

"……."

무슨 말인지 몰라 침묵하는 아론.

"강한 자가 살아남는 것이 아니라 살아남는 자가 강한 자라는 것을 말이죠."

"그런 말이 있기는 있지만 기본이 받쳐주지 않는다면 그것도 어려울 것입니다."

"그렇기는 하죠. 아무것도 할 줄 모르는 자가 전장에서 살아남을 수는 없겠죠. 어느 정도 기본을 갖춰져야 할 일이겠죠."

"그런데 그 기본이 참으로 힘든 겁니다."

"그… 렇죠?"

"그놈의 기본에 죽어날 수도 있으니 말이오."

"그렇기도 하겠네요. 어쨌든 저들의 허락은 그리 어려울 것 같지 않네요."

"아니, 며칠 더 갈 것 같습니다."

"며칠이나요?"

"자존심이라는 게 있지 않겠습니까?"

"흐음. 강자에게 도전하고 싶은 강자존의 마음이 아니라요?"

"스스로 무릎을 꿇어야 진정으로 무릎을 꿇는 것입니다. 마음 깊숙이 승복해야만 하지요. 그러자면 아마도 며칠은 걸릴 것으로 보입니다."

"그런가요?"

그러면서 미묘한 미소를 떠올리는 유리피네스 족장.

"당신 역시 나에게 강한 호승심을 느끼고 있듯이 저들 역시 마찬가지일 겁니다."

"알고 있었어요?"

"전사는 전사를 알아보는 법이오."

"전사라… 실로 오랜만에 들어보는 말이로군요."

"전사… 맞지 않습니까?"

"아니 너무 오랫동안 전사의 자리를 벗어나 있었거든요."

"그럴 수도 있겠지요. 맡은 바 직책이 있으니. 하나 단 한 번도 검과 마법이 머리에서 떠난 적은 없을 것이고, 지금도 새벽마다 자리에서 일어나 검과 마법을 연마하고 있지 않습니까?"

"마치 옆에서 본 듯이 말을 하네요."

"그건 전사로서의 숙명이니까."

"확실히 그렇기는 하군요. 그런데 이런 상황이 너무 오래 가면 좋지 않을 것 같은데요?"

"축제를 열면 되잖소."

"축제요?"

놀랍다는 듯이 눈을 동그랗게 뜨고 반문하는 유리피네스 족장.

"잡혀갔던 이들이 돌아왔습니다. 그리고 오랜만에 전사들은 피가 끓어 오르고 있지요. 이보다 더 좋은 축제의 시기는 어디에도 없을 것이라 보입니다."

"그리고 그 마지막에는 당신과 나의 대련이 있겠군요."

"그럴지도."

"나쁘지 않군요."

"그리고 손님이 찾아올 것입니다."

"손님, 손님이라……."

"인간 손님."

"그런가요? 여러 모로 축제를 준비해야 하겠군요."

그들의 시선은 어느새 호족과 회색 오크족의 집단 대련이 있는 곳으로 향하고 있었다. 이후 그들의 대화는 없었다. 그 정도로 두 종족 간의 대련은 훌륭했다.

* * *

"흐으으으~"

어둠이 가득한 곳.

아니 붉고 푸른, 그리고 검은 불꽃이 일렁이는 한가운데 한 명의 창백한 사내가 앉아 있었다. 결가부좌를 틀고, 마법사의 로브와 후드를 깊숙하게 눌러썼으나 코 밑으로 보이는 새빨갛고 가는 입술이 왠지 모르게 위화감을 느끼게 해주고 있었다.

화르르륵!

불꽃이 깊숙하게 눌러쓴 후드를 태워 버렸고, 후드는 재조차 남기지 못하고 사라져 버렸다. 후드에 가려졌던 얼굴이 드러났으나 드러난 얼굴은 그야말로 기괴했다. 반은 검은색으로 물들었고, 반은 시리도록 푸른색으로 물들어 있었다.

서로 충돌하고 융합하며 얼고 타오르고 발전해 나갔다. 그 와중에 사내는 전혀 미동조차 하지 않고 눈을 감은 채 집중할 뿐이었다.

빠지지직!

사내가 있는 공간의 절반은 얼어붙었고, 반은 지옥의 백색 화염이 일렁거리기 시작했다. 두 불과 얼음의 충돌로 인해 이미 사내가 있는 공간은 난장판이 되었다. 얼어붙은 후 불에 의해 깨져 나가고 재조차 남기지 못한 채 사라지기를 반복했다.

휘우우웅!

아무것도 없는 공간에 북풍한설이 몰아쳤고, 뜨거운 지옥의 화염이 덮였다. 그러기를 수십, 수백 번.

"흐으으으~"

다시 한 번 사내의 입에서 심혼을 얼어붙게 만드는 기괴한 소리가 나직하게 흘러나와 공간을 가득 메웠다. 그러다 서서히 아주 서서히 얼음과 백색의 불이 사내에게로 흡수되기 시작했다. 너무나도 느릿하여 마치 천년만년 계속 될 것 같았다.

하지만 시간의 흐름은 느낄 수 없었다.

이미 사내가 있는 공간은 칠흑의 어둠으로 뒤덮여 있었기 때문이었다.

얼마의 시간이 지났을까?

칠흑의 어둠이 걷히고, 푸른색의 얼음과 백색의 불꽃이 모두 사내에게 흡수되는 그 순간 사내의 눈이 느릿하게 떠졌다. 사내의 눈은 눈동자가 없었다. 그저 전체가 검은색이었다. 그러다 서서히 검은색이 눈동자를 만들었고, 검은색 눈동자는 다시 백색으로 혹은 푸른색으로 변해갔다.

기괴하기 이를 데 없는 사내의 눈동자.

그러다 마침내 사내의 눈동자는 회색으로 최종적으로 물들어갔다. 머리카락 역시 탁한 회색으로 푸석푸석하게 변해갔다 돌아나기를 반복했다. 그러다 마침내 그 반복됨이 끝나고 자리를 털고 서서히 일어서는 자.

그는 자리에서 일어나 자신의 앞에 수북하게 쌓인 무언가를 바라봤다. 그곳에서는 불과 얼음에도 사라지지 않은 고치와 같은 것이 존재했는데 그는 발을 들어 고치를 툭툭 건드렸다.

파사사삭!

그에 마치 기다렸다는 듯이 부서지며 흩어지는 고치.

"호호호호."

그 모습을 보며 나직하게 웃는 자의 새하얀 이빨이 유별나게 돋보였다. 하나, 사내는 이내 무표정함으로 돌아오고 있었다. 그는 말없니 돌아서 자신만의 공간을 나섰다.

그그그그극!

두껍고 무거운 거대한 석문이 열리면서 아우성을 쳤고, 그가 외부로 통하는 그 문 위로 한 걸음 내디뎠을 때 나직하고 음울한 목소리가 그의 귓가로 전해져 왔다.

"대공을 이루심을 감축드립니다."

그가 나서는 문 좌우로 두 명의 인물이 존재했다.

그는 두 명을 바라보며 고개를 끄덕였다. 자신이 가장 믿는 존재이자 자신의 하수인이며 자신의 사역마인 두 존재.

"일은?"

나직하면서 소름 돋을 그의 목소리에도 불구하고 둘의 표정은 별반 달라지지 않았다.

"순탄치 않습니다."

"순탄치 않다?"

"그렇습니다."

"듣고 싶군."

"일단 자리를 옮기심이……."

"가지."

"명!"

CHAPTER 6
방문자

"그래서… 플람베르 가문의 일은 어쩔 수 없었다?"

"그… 렇습니다."

"그렇다면 칼뤼베이우스 가문 역시 마찬가지인가?"

"칼뤼베이우스 가문은 아직 이상 없습니다."

"일곱 개의 가문 중 플람베르 가문만인가?"

"그렇습니다."

"할 수 없지. 플람베르 가문을 지운다. 그리고 그… 오크들은?"

"차질 없이 진행 중입니다."

"차질이 없다?"

"그… 렇습니다."

차질이 없다는 말에 약간의 반응을 보이는 사내. 그에 보고를 하는 두 명 중 한 명이 움찔하는 모습이 보였다. 이럴 경우 그리 좋은 결과를 얻지 못했기 때문이라 할 수 있었다. 조용한 침묵이 감돌았다.

"그럴 수도 있겠지. 그리고 나머지 귀족들의 대응은?"

"그리 어렵지 않게 순조롭게 진행 중입니다."

"순조롭다라… 그렇군. 알겠다. 돌아가 보도록."

"명을 따릅니다."

그러면서 남과 여, 두 로브인은 뒷걸음질로 물러났다. 그런 그들을 바라보며 일렁이는 어둠 속에서 차분하게 허공을 바라보는 사내.

그리고 나직하게 중얼거렸다.

"분명히 나보다 강한 자가 있다."

어둠 속에서 시퍼런 눈빛을 발산하는 자였다.

*　　　*　　　*

"허억! 허억!"

한 명의 사내를 호위하는 듯한 대열.

가운데 위치한 사내나 그를 호위한 듯한 사내들이나 모두 지치고 피곤한 얼굴이었다. 그들은 거친 호흡 속에서도 연신 뒤를 흘낏거리며 달려 나가고 있었다.

“저, 정지…….”

“안… 됩니다.”

“하지만 사람들이 지쳤어요.”

“그건…….”

순간 가운데의 사내 바로 옆에서 달리던 커다란 체구의 사내가 호위하는 이들의 모습을 바라본 후 나직하게 한숨을 내쉬었다.

“정지!”

“대장!”

“그럴 수는…….”

“니들 꼴이나 보고 말해.”

“그…….”

대장이라 불리는 자가 목소리를 높이자 나머지 사내들은 자신도 모르게 멈춰 섰다. 그럴 수밖에 없는 것이 지금 자신들은 그야말로 피칠갑을 한 상태였기 때문이었다. 그리고 그들의 호위하는 듯한 사내는 거친 숨을 몰아쉬며 철퍼덕 자리에 앉았다.

“죽을 때 죽더라도 좀 쉽시다. 후욱!”

"체바로……."

"알아요. 알아. 여기서 멈추면 그들에 따라 잡힌다는 것을 하지만 이대로 도망친다고 해도 그리 오래지 않아 따라 잡힐 겁니다. 어차피 따라 잡힐 것. 체력이라도 회복해야지요."

"그… 렇군."

그러면서 체바로의 곁으로 털썩 주저앉는 사내. 사내는 품속에서 마른 건량을 꺼내 질겅질겅 씹기 시작했다. 입에 침이 없어서인지 몇 번이나 꺼내기를 반복한 후에 겨우 씹는 폼이 그 역시 적잖이 힘들었던 모양이었다.

"후우~"

그는 답답한지 긴 한숨을 내쉬었다.

"후우~"

그의 한숨 뒤에 체바로의 한숨이 이었다. 그런데 대체 무슨 일이 있었기에 우든 마을의 2인자이자 우든 마을 촌장의 양아들인 체바로가 이리도 다급하게 쫓기는 상황이 만들어진 것일까?

하지만 그 누구도 딱딱한 얼굴로 어떤 말도 하지 않고 있기에 이 상황을 듣기에는 어려움이 있었다. 그것보다 사내를 호위하는 열다섯 명의 사내들은 각자 마나 호흡을 해 바닥난 마나를 회복하고 있었다.

"쯧!"

그런 모습에 체바로의 곁에서 그들을 지켜보던 이가 가볍게 혀를 찼다. 도대체 어떻게 이런 상황에 몰리게 된 것일까? 차근차근 생각해 보던 그는 결국 한 가지 결론을 내릴 수밖에 없었다.

"누군가 그놈을 도와주는 것이 분명하다."

"도와주는 것이 아닐 겁니다."

"아니면?"

"연수죠."

"연수?"

"아니면 하수인이거나."

"하수인?"

도통 무슨 말인지 모르겠다는 듯이 체바로의 말을 되뇌는 사내.

"부촌장 기드빈이라는 사람. 야망이 크기는 하지만 반란을 일으킬 정도의 세력을 모으지는 못했어요."

"그건……."

"그건 알바트론 아저씨가 더 잘 알잖아요."

"그렇지. 그놈은 야망만큼이나 철저하게 냉정한 놈. 그런 놈이 누굴 믿는다는 것이 오히려 더 이상한 일이지."

"그렇지요. 그렇다면 답은 정해져 있지요. 누구에게 굴복했거나 스스로 숙이고 들어갔을 경우죠."

"둘 다 믿을 수 없는 일이군."

"그렇죠? 그래서 한 가지 가설을 더 세워봤어요."

"한 가지의 가설?"

"바로 계약이죠."

"계약이라… 그 새끼라면……."

충분하고도 남았다.

자신의 욕망에 눈이 먼 놈이니까. 그래서 더 답답했다. 용병 주제에 권력에 눈이 멀다니. 물론, 그를 이해하지 못하는 것은 아니었다. 하지만 신분의 벽과 생각의 벽은 생각 외로 두텁고 높았다.

아니 끝도 안 보일 정도로 두텁고 높다. 그것을 허물기란 정말 요원한 것이었다. 그리고 정말 중요한 것은 그가 계약을 했다고 하지만 그 계약은 용병을 살리는 계약이 아닌 스스로 기존의 질서에 편입되는 계약이 될 것이다.

그리고 그는 자신의 과거와 뿌리를 버릴 것이며, 남들보다 더 악독하게 과거와 뿌리를 제거하려 앞장설 것이다. 그로서는 자신의 유일한 단점이자 감출 수밖에 없는 약점이었으니까 말이다.

대부분의 용병들이 그랬다.

신분의 벽을 허물고 대단한 공을 세워 귀족이 된 이후 그들은 과거를 잊었다. 아니 자신의 과거를 통째로 사라지게 만들었다. 심지어는 과거 자신이 몸담았던 용병대나 용병단을 반역의 죄나 혹은 청부를 해 싸그리 정리해 버리는 일이 비일비재했다.

그리고 부촌장인 기드빈은 단단하고 견고한 신분의 벽을 허물면 이전의 그 누구보다도 더 빠르게 자신의 과거를 지울 것이다. 그 말은 바로 용병들의 마을 자체가 사라진다는 말이 될지도 몰랐다.

그래서 한숨이 나왔다.

그리고

'그렇다 하더라도 용병들의 마을은 다시 어디선가 만들어질 것이다. 네놈이 아무리 과거를 지운다 해도 사라질 용병들이 아니니까.'

그렇게 되뇌기는 했다.

하지만 불안한 것은 어쩔 수 없었다. 당장에 우든 마을이 거의 초토화되었고, 그를 따르지 않은 모든 용병들을 죽이거나 추방한 기드빈이었다. 그리고 마지막으로 우든 마을의 또 다른 한 축이었던 체바로를 뒤쫓고 있지 않은가?

알바트론의 눈은 눈을 감고 숨을 고르고 있는 체바로에게로 향했다. 그리고 잠깐 약간의 답답함을 담은 채 입을 열었다.

'도대체 쿠테란 마을은 왜?'

물론, 토툰 마을로 가는 것보다야 백번 나았다. 하지만 그들이 자신들을 도와줄 것이라는 확신은 들지 않았다. 원래 이종족이란 것들은 인간에게 그리 호의적이지 않았으니까 말이다. 한편으로는 이해하면서도 한편으로 아쉬움이 진하게 묻어났다.

아쉬움이란 왜 그동안 이종족에게 데면데면했나 하는 생각이었다. 생각해보면 이종족이나 인간족이나. 이종족 편에서 보자면 인간이 이종족인데 말이다. 인간은 오로지 자신의 입장만 생각하고 있을 뿐이었다.

오로지 자신만 생각하는 인간들. 평소에 그렇게 데면데면하게 굴던 이종족을 찾아가고 있는 것이었다. 목숨을 구걸하기 위해서. 자존심이 상했지만 어쩔 수 없었다. 그러니 절로 한숨이 나올 수밖에 없었다.

그러다 문득 알바트론은 눈살을 찌푸렸다.

"벌써……."

"왔나요?"

"그래."

"정말 쉴 시간을 안 주는군요. 도망가기는 힘들겠죠?"

"적은 수가 아니다."

"어쩔 수 없네요. 우리 운명은 여기까지인 것 같네요."

"그런 말 마라. 어쨌든 너만이라도 살아야 한다."

"저만 살아서 뭐하게요."

"아니 살아야 한다. 왜냐하면 그놈이 아무리 독한 놈이라고 해도 우든 마을에 있는 모든 용병들을 죽일 수는 없을 게야. 그리고 의뢰를 맡고 떠나 아직 돌아오지 않은 이들도 있고. 그들을 한데 모아야 할 존재가 바로 너니까."

"그들이… 저를 중심으로 모일까요?"

"그렇게 되도록 해야지."

"어렵네요."

"준비해라."

고개를 절레절레 젓는 체바로를 보며 알바트론은 대검을 의지해 자리에서 일어났다. 체바로를 호위하는 열다섯의 용병들 역시 결연한 표정으로 자리에서 일어나고 있었다. 그리고 기다렸다는 듯이 모습을 드러내는 또 다른 용병들.

그들은 모습을 감출 필요조차 느끼지 못한 듯 평소 모습 그대로 모습을 드러내고 있었다.

"여어~ 알바트론. 고작 여기까지냐?"

"으음. 사일러스, 네놈이……."

그에 사일러스라 불린 용병은 진득한 살소를 떠올렸다.

"드디어 네놈의 목을 벨 수 있겠구나."

"흥! 그것이 쉬울 것이라고 생각하는 것이냐?"

"어려울 것도 없지."

"고작 이 인원으로 말이냐?"

"네놈이 거느린 수를 보고 말을 해라."

"오합지졸 기백 명이 왔다고 해서 우리를 어찌할 수 있다고 생각하나?"

"물론, 아니지. 그래서 말인데… 이제 그만 나오지?"

그러면서 허공에 외치는 사일러스. 그러자 부스럭거리면서 위장을 풀고 나오는 이들이 있었다. 그러한 그들을 보며 알바트론과 체바로는 얼굴이 있는 대로 일그러졌다. 그들 역시 익히 알고 있는 얼굴이었기 때문이었다.

"조엘……."

"조엘 너 이 새끼……."

그에 그들을 보며 히죽 웃는 조엘이라 불리는 자.

덥수룩한 수염. 다듬어지지 않는 머리카락. 그리고 왼쪽 관자놀이에서부터 턱까지 주욱 이어지는 검상은 그 인상을 무척이나 날카롭게 만들어 주고 있었다.

"다들 알고 있지? 하룻밤 사이에 마을 하나를 지워버린 파괴자 조엘을?"

"파괴자? 웃기는 소리로군. 강간범이라고 해야 맞지 않나?"

"뭐 아무거나 상관없지."

가장 먼저 사일러스의 말이었고, 두 번째는 알바트론. 그리고 마지막 심드렁한 목소리는 바로 토툰 마을에서 온 조엘이라는 자의 목소리였다. 그때 체바로는 사일러스를 쏘아보며 입을 열었다.

"토툰 마을도 힘을 보탠 것인가?"

"뭐 같은 용병인데 귀족들에게 손을 벌린 것보다는 낫지. 안 그래?"

'그게 더 나쁘다. 이 거지같은 새끼야'라고 말을 해주고 싶은 체바로였다. 하지만 지금 상황에서는 섣불리 말을 꺼낼 수 없었다. 사일러스가 대동한 1백 명, 그리고 토툰 마을의 조엘이 이끌고 온 50여 명의 용병들까지. 무려 150명이었다.

자신들은 자신을 포함해서 겨우 열일곱 명이었고 말이다.

무려 열 배나 차이 나는 전력.

'어쩌면 이곳이 마지막일지도 모르겠군.'

체바로는 직감처럼 그 말을 떠올렸다. 그러면서도 그는 자신이 들고 있는 검을 손으로 움켜잡았다. 비록 저들보다 못하지만 짐이 되기는 싫었다. 그리고 알바트론 역시 체바로와 같은 생각이었던지 이 중 가장 약한 무력을 가진 그의 행동을 제지하지는 못했다.

열 배가 넘어가는 인원이 덤벼드는 상황에서 그를 돌봐줄 여유가 없을 것 같았기 때문이었다. 더군다나 사일러스와 조엘 역시 자신과 동급의 혹은 사람을 죽이는 데 있어서는 자신보다 더 우월할 수도 있는 자들이 있음에 결코 방심할 수 없었다.

칼 밥을 먹는다고 해서 다 같은 칼 밥은 절대 아니었다. 사람 죽이는 일과 추적하는 일을 밥 먹듯이 하는 이들과 용병으로서 상단을 호위하고 몬스터와 끊임없이 전투를 이어가고는 있지만 사람 죽이는 것에는 거부감을 느끼고 있는 이들이 싸운다면 어떻게 될까?

당연히 사람 죽이는 일을 밤 먹듯이 하는 놈들이 우세하다. 동일한 수라고 해도 그럴진대, 무려 열 배가 넘는 인원이었으니 살아도 돌아간다는 것은 있을 수 없는 일이라 해도 과언이 아니었다.

그래서 그들의 표정은 절망적일 수밖에 없었다. 그래도 그들은 포기하지 않았다. 죽더라도 그냥 죽지는 않겠다는 생각이었다. 그리고 그런 그들을 보며 사일러스와 조엘은 이를 드러낸 채 웃고 있었다.

그중 조엘은 그 태도가 굉장히 마음에 든다는 듯이 들고 있던 두 자루의 단검을 혀로 핥으며 입을 열었다.

"그래. 그래야지. 반항하지 않으면 재미없지."

마치 제발 항복하지 말고 끝까지 반항해보라는 듯이 말을 하는 그였다. 그리고 그는 또 다시 입을 열었다.

"나 혼자 간다."

그러면서 앞으로 나섰다.

토툰 마을의 용병들은 재미있는 일이 벌어지겠다는 듯이 지켜볼 뿐이었고, 그 악명을 듣기는 했지만 직접 보지 못한 사일러스는 나직하게 물었다.

"괜… 찮겠나?"

"훗!"

그런 사일러스의 말에 지켜만 보라는 듯이 앞으로 나서는 조엘. 그의 표정은 여전히 잔인한 미소가 사라지지 않고 있었다. 그에 체바로를 둘러싸고 있던 용병들이 조엘을 둘러싸기 시작했다. 알바트론은 여전히 체바로의 옆에 남아 있었다.

'상대가… 안 돼.'

상대가 안 됐다.

조엘은 중급의 용병.

자신이 고르고 고른 용병은 고작해야 하급. 비록 열다섯이라는 압도적인 수지만 오히려 열다섯의 용병들이 위험하게 느껴졌다. 열다섯의 용병들 역시 그것을 아는지 딱딱하게 굳은 얼굴이었다.

그도 그럴 수밖에 없는 것이 자신들은 지쳤다. 피로하다.

하나, 상대는…….

팔팔했다.

아니 오히려 호기심 가득한 얼굴.

혹은 가지고 놀기 딱 좋은 장난감을 손에 쥔 그런 얼굴들이었다. 그들에게 있어서 자신들은 그저 가지고 놀 장난감에 불과했던 것이다. 그에 불안한 와중에도 용병들은 오기가 치솟아 오름을 느낄 수 있었다.

'제기랄…….'

이를 악물었다.

그런 용병들을 보며 여유롭게 비웃는 조엘.

조엘이 그렇게 용병들과 대치하는 동안 사일러스는 은밀하게 심복에게 명령을 내렸다. 퇴로를 차단하라는 것이었다. 그들은 체바로와 알바트론이 눈치채지 못하도록 은밀하게 움직였다. 사실 그럴 필요도 없었다.

이미 우든 마을은 이미 자신들의 손에 떨어진 것이나 다름없었으니까 말이다. 그럼에도 그들은 완벽을 기하기 위해 조심에 또 조심을 했다. 만약 실패한다면 자신에게 떨어질 불호령을 생각해보면 전신에 소름이 돋을 정도니까.

그 와중에 조엘이 자신을 둘러싼 용병들을 향해 두 자루의 해머를 휘두르며 뛰어들었다.

"죽엇!"

용병들 역시 아무리 만만찮은 상대라 할지라도 결코 물러서지 않겠다는 듯이 뛰어 들어오는 조엘을 향해 무기를 휘둘렀다.

까아아앙!

무기와 무기가 부딪쳤다.

그 속에 조엘은 여전히 진득한 살소를 머금고 있었다. 조엘의 해머와 부딪친 용병은 뭔가 이상하다는 느낌을 받았는지 살짝 눈이 떨려왔다.

그 순간.

퍼억!

등 뒤에서부터 섬뜩한 파열음이 들려왔다.

전혀 감각이 없었다.

하나, 이내 상상할 수조차 없을 정도의 거대한 통증이 몰려들었다.

"끄으… 아아아악!"

그때 조엘은 어느새 용병의 코앞까지 얼굴을 들이밀며 비명과 함께 튀어나오는 타액을 얼굴에 맞으면서 입을 열었다.

"그래. 바로 이거야. 이런 비명이 그리웠던 거야."

후욱!

그리고 뜨거운 숨소리를 내뱉었다.

"흐허어억!"

이번에는 등 뒤에서가 아니라 복부에서 따끔한 느낌이 들었고, 용병은 그 순간 정신이 아득해지는 것을 느꼈다.

"마이클!"

누군가 용병의 이름을 불렀다. 그에 먼저 반응한 것은 조엘이었다.

“마이클? 그래 마이클. 아직 죽지는 않을 거야. 피해서 찔렀거든?”

그러면서 마이클의 뺨을 토닥거리는 조엘. 그리고 돌아서려다 잊어먹었다는 듯이 다시 입을 열었다.

“아! 그리고 칼 빼지 않는 게 좋을 거야. 빼면 알지?”

여유를 부리는 조엘.

아니 그건 여유가 아니라 잔혹한 배려였다.

죽으려면 칼을 빼고, 죽지 않으려면 칼을 빼지 않은 채 동료들의 죽음을 지켜보라는 뜻이었다. 그에 마이클의 볼살이 부들부들 떨리더니 마이클이 피가 역류해 피범벅이 된 입을 열었다.

“X새기야! 어디 세상 일이 니 맘대로 된다디?”

그에 살짝 눈살을 찌푸리는 조엘. 하지만 그 표정은 극히 짧은 시간이었다. 이내 입술 꼬리를 말아 올리며 입을 열었다.

“그래? 그러면 한 번 빼 봐.”

그 말을 기다렸다는 듯이 마이클은 복부에 박힌 검을 빼내기 시작했다. 절대 짧은 단검이 아니었다. 단검이 느릿하게 빠져나왔고, 그와 함께 내장 조과 핏물이 주르륵 흘러내리기 시작했다.

그 고통으로 인해 그의 얼굴은 점점 더 일그러지기 시작했다. 느긋하게 그 모습을 지켜보던 조엘의 눈이 살짝 떨려왔다. 인간이란 누구나 자신의 삶에 집착한다. 그 집착을 버린다는 것은 진정으로 힘들었다.

자신이라면 절대 칼을 빼는 것을 선택하지 않을 것이다. 그래서 그는 잔인한 선택을 요구한 것이었다. 하지만 상대는 서슴없이 하나를 선택했다. 바로 자신의 부상을 동료들에게 부담으로 작용하지 않게 하려는 선택을 한 것이다.

"너어……."

그에 당황한 듯 말을 흐리는 조엘.

"병신 새끼. 세상은 너 같은 새끼만 있는 게 아니야."

그러면서 복부에 박힌 칼을 쑥 뽑아 버리는 마이클.

"크윽!"

그에 답답한 소리를 내며 무릎을 꿇는 마이클.

"이. 이… 개……."

자신의 예상이 완벽하게 틀어짐에 따라 조엘의 얼굴은 그야말로 붉으락푸르락해지고 있었다.

"새에… 끼!"

그의 해머가 움직였다.

자신의 자존심에 상처를 남기고 자신의 즐거움을 앗아 가 버린 마이클을 완전히 뭉개 버리려는 듯이 말이다. 하지만 마이클은 이미 전의를 아니 몸을 움직일 수 없는 상태였다. 그리고 여타 다른 용병들조차도 움직일 수 없었다.

이유?

이유는 바로 그들을 포위하고 있는 토툰 마을의 용병들의 날카로운 기세 때문이었다. 기세로만 그들이 움직이지 못한 것은 아니다. 그들 역시 죽음을 도외시하고 동료들에게 자신이 짐이 되지 않게 할 수 있었으니까.

하지만 그저 지켜보기만 하던 그들이 자신들을 이끄는 대장이 분노하고 있음을 알고 또 자신들의 즐거움을 뺏은 것에 대한 분노 때문인지 어느새 싸움에 개입해 용병들이 자신들의 대장이 행하는 행사에 관여치 못하게 하고 있었다.

"비켜!"

"그럴 거였으면 막지도 않았다. 이 새끼야."

"그럼 죽어!"

"죽일 수 있으면."

"조엘은 모르지만 네놈이라면……."

그에 용병이 누런 이를 드러내며 웃었다.

"나 혼자라디?"

"……."

무슨 말인지 안다. 하지만 이대로 당하고만 있을 수는 없었다. 여러 가지의 일이 그의 마음속에서 회오리쳤다.

'지금 당장! 지금 당장 해야 할 일!'

그러면서 흘깃 체바로와 알바트론을 바라봤다.

그들 역시 자신들을 바라봤다. 알바트론은 나설 수 없었다. 그는 체바로를 지키는 마지막 저지선이었으니까. 모든 것을 자신들이 알아서 해결해야만 했다. 죽이 되든 밥이 되든 말이다. 그는 검을 움켜쥐고 소리를 지르며 앞으로 내달렸다.

"우와아아악!"

그런 용병을 보며 비릿한 미소를 떠올리는 토튼 마을의 용병.

"안된다니까 그러네……."

그러면서 언제 준비했는지 모를 석궁을 날렸다.

쉭! 쉬쉭!

다루기 힘든 석궁임에도 너무나도 능숙하게 쏘고, 다시 볼트를 끼우고 쏘기를 반복했다. 우든 마을의 용병은 앞으로 전진하지 못하고 날아오는 석궁의 볼트를 막아내기 바빴다. 한 걸음도 앞으로 내디디지 못한 것이었다.

"비겁한……."

"죽고 사는데 비겁한 게 어디 있다고."

콧등으로도 듣지 않는 토튼 마을의 용병. 그렇게 산발적인 싸움이 일어났다. 좁은 주변의 어수선한 정황이었다. 살기와 살기가 부딪히고 무력이 투사되면서 그 누구도 관여하지 못하는 동안 조엘의 해머가 마이클의 머리에 닿을 그 순간이었다.

따아앙!

"크읍! 누구냐!"

조엘이 해머를 막아내는 무언가가 있었다. 그에 조엘은 손아귀에 전해지는 둔중한 충격에도 불구하고 주변들 둘러보며 외쳤다. 그러다 자신의 해머에 박혀 있는 나뭇잎을 보고는 침음을 흘릴 수밖에 없었다.

통짜 강철로 만들어진 해머였다.

이 해머에 죽어나간 이들이 부지기수였고 말이다.

거기에 해머에는 미약하나마 마나를 담고 있었다. 전력을 투사하지는 않았지만 그래도 천려일실이라. 마나를 옅게 불어넣은 것이었다. 그런데 그 마나를 뚫고, 해머에 나뭇잎을 박아넣었다.

'어떻게…….'

그 짧은 순간 조엘은 상상할 수 없는 공포감을 맛보았다. 부드럽기 그지없는 나뭇잎이 단단한 강철 그것도 마나가 덧씌워진 해머에 박히고 자신의 공격을 막아냈다는 것은 충격이라 할 만했다.

"누구냐! 숨지 말고 나서라!"

그때였다.

저벅! 저벅! 저벅!

모두의 귓가에 들려오는 발자국 소리가 들려왔다.

한 방향에서 들려오는 발자국 소리가 아니라 사방에서 동시 다발적으로 들려오는 발자국 소리였다. 하지만 상대는 보이지 않았다.

'그 말은…….'

'바자국에 소리에 마나를 담았다는 말?'

용병들의 머리를 스치고 지나가는 생각.

위험을 알리는 신호였다.

그때 사일러스와 조엘이 동시에 움직였다.

바로 체바로와 알바트론이 있는 곳으로 말이다.

쐐에에엑!

공기를 찢는 듯한 날카로운 소리가 들려왔다. 그에 알바트론 역시 방심하지 않고 검을 휘두르며 두 명의 용병의 공격을 막아갔다. 그는 경계를 늦추고 있지 않았다. 언제 어떻게 움직일지 모르는 놈들이었으니까 말이다.

그나마 비열하기는 해도 독이나 암기는 사용하지 않으니 그나마 나은 상대라고 할 수 있겠지만 여전히 비겁한 것은 마찬가지였다. 아무리 주변을 포위하고 토툰 마을과 우든 마을의 반란 용병들을 일거에 쓸어버릴 수는 없는 법이다.

그리고 자신의 수하를 이용해서 자신들의 목적을 이루려하는 것은 당연한 저들의 행동이라 생각했다. 상대의 입장에서 보면 임무에 충실한 것이고 자신들의 입장에서 보면 잔인하고 비겁한 놈들이라 할 수 있었다.

그러니 어찌 그들을 경시할 수 있겠는가? 더군다나 암중에서 발자국 소리를 내며 다가오는 이들이 아군인지 적군인지 모를 상황에서 말이다.

위에서 떨어져 내리는 조엘의 해머. 알바트론은 두 손으로 검병을 잡아 비스듬하게 조엘의 해머의 공격을 흘려냈다.

챙! 촤라라랑!

대검이 바르르 떨리며 충격을 소멸시켰다. 하나, 적은 조엘만 있는 것은 아니었다. 바로 그 순간을 이용해 사일러스의 대검이 알바트론의 복부를 쑤시고 들어왔다.

촤르르릉!

하나, 원래의 목적을 달성할 수 없었다. 어느새 체바로가 끼어들어 방패로 사일러스의 대검을 흘린 것이었다. 하지만 실력이 일천해서인지 답답한 신음을 흘리며 물러나고 있었다. 그에 사일러스는 설핏 비웃음을 날렸다.

'병신 같은 놈. 칼 밥 먹는 용병이 칼을 무서워해? 그래서 넌 안 되는 거다. 이 새끼야.'

그는 비웃고 있었다.

용병이란 자고로 무기를 다룰 줄 알아야 한다. 강자존이 바로 용병들의 세계니까. 그런데 귀족들처럼 허약한 놈이 우든 마을을 말아먹겠다고 하니 어디 그게 가당키나 한 말인가?

그이 대검에는 자비란 없었다.

반드시 죽이고야 말겠다는 의지가 깃들어 있었다.

조엘의 해머가 다시 움직였다. 이번에는 알바트론의 하단을 쓸고 들어가는 조엘의 해머. 한 자루였던 해머가 어느새 두 자루가 되었다. 한 자루만 해도 섬뜩하기 그지없는 조엘의 해머가 두 자루로 늘었다.

쒸우우웅!

듣기만 해도 오금이 저릴 파공성이 일었다. 그에 알바트론은 풀쩍 뛰어 올라 조엘의 해머를 피해냈다.

'기회!'

사일러스는 알고 있었다.

땅과 다르게 허공에 떠올랐다면 그것으로 끝이 된다. 인간이란 새가 아니어서 허공에 떠 있으면 절대 자유롭게 방향을 전환할 수 없었기 때문이었다.

쉬이익!

뱀이 혓바닥처럼 민활하게 움직이는 사일러스의 대검이 알바트론의 심장을 노렸다.

"후우!"

순간 알바트론은 허공임에도 불구하고 몸을 뒤틀었다.

파아아악!

"크윽!"

하나, 완벽하게 피해낸 것은 아니었다. 사일러스의 대검이 그의 심장이 아닌 어깨를 할퀴고 지나간 것이었다. 핏물이 사방으로 튀었다. 트롤 가죽으로 만든 레더 메일이 단박에 너덜너덜 해지면서 핏물이 사방으로 튀었다.

몸을 뒤틀어 조엘과 사일러스의 공격권에서 멀어져 나뒹구는 알바트론. 그러나 조엘과 사일러스는 그를 따라가지 않고, 가까운 거리에 있는 체바로를 향해 쇄도했다. 그들의 공격 목적은 알바트론을 체바로에게서 떨어뜨려 놓는 것이었다.

“안 돼에~”

알바트론은 자신의 실책을 깨닫고 외쳤다.

“이미 늦었다.”

사일러스는 진득한 살소를 떠올리며 답을 했다. 알바트론과 체바로는 동시에 절망에 찬 얼굴이 되었다. 그 와중에도 체바로는 포기하지 않고 검을 버리고 아예 방패만 들어 두 손으로 둘의 공격을 막아냈다.

콰아아앙!

“크흡!‘

강렬한 충격이 방패를 잡은 두 팔로 전해졌다. 하지만 그것은 시작이었다. 조엘과 사일러스는 막을 수 있으면 어디 막아보라는 듯이 체바로의 방패만 두드렸다. 해머가 연속으로 방패를 두드려 방패를 우그러뜨리고 균열을 만들었고, 사일러스의 대검이 날카롭게 할퀴고 지나가며 방패를 잘라냈다.

체바로가 막아내는 것이 아니라 일부러 체바로의 방패를 두드리는 것이었다. 다른 것은 필요도 없다는 듯이 말이다.

"송충이는 솔잎을 먹고 살아야 하는 법이다."

사일러스가 외쳤다.

"신분에 귀천이 어디 있더냐?"

"없지. 하지만 넘볼 것을 넘봐야지. 용병들의 대지? 웃기는 소리. 용병 같지도 않은 놈이 용병들을 위한 곳을 만든다고?"

"크크큭! 들던 중 가장 개소리로군."

사일러스의 말에 동조하듯이 답을 하는 조엘.

그들은 지금 체바로를 조롱하고 있었다. 하지만 체바로는 그들에게 어떤 말도 할 수 없었다. 익스퍼트 중급에 이른 용병들이 자신을 향해 무기를 휘두르고 있었다. 막아내기도 급급했고, 더군다나 방패를 통해 전해지는 강력함은 뼈까지 시큰거릴 정도였다.

자신을 가지고 놀고 있음을 알고 있었다. 하지만 나약한 자신의 몸뚱이는 자신의 의지대로 행해지지 않고 있었다. 지금 이 순간 자신이 할 수 있는 일은 그저 찌그러지고 깨진 방패를 들고 있는 것밖에는.

콰아아아앙!

쩌억!

"크으… 아아악!"

그리고 마침내 그를 보호하고 있던 방패가 산산조각이 나 사방으로 비산했다. 그 충격에 체바로는 피를 뿜으며 정신이 뒤로 굴렀다.

턱!

그리고 마침내 무언가에 걸려 멈출 수밖에 없었다.

체바로의 얼굴은 절망이 깃들어 있었다. 이것으로 끝이 난 것이라고 생각했다. 하지만 자신을 노려보는 두 용병. 사일러스와 조엘은 자신을 향해 쇄도해 들어오지 않았다.

"죽여라!"

피를 토해내며 외치는 체바로.

하지만 둘은 여전히 자신을 노려보고 말이 없었다. 그에 뭔가 이상함을 느낀 체바로는 알바트론을 바라봤고, 알바트론 역시 놀란 눈으로 자신을 바라봤다.

아니, 엄밀하게 말하면 자신을 바라보는 것이 아니라 자신의 뒤를 바라보고 있었다.

체바로 역시 부지불식간에 뒤를 돌아봤다. 나무나 혹은 바위인줄 알았다. 하지만 아니었다.

뒤를 돌아본 체바로의 눈동자는 순간 커졌다 금세 다시 원래대로 돌아왔다. 자신의 뒤에 있는 이는 익히 아는 얼굴이었다.

"아론… 님."

"오랜만이로군."

"그… 러게 말입니다."

"그런데… 영 상황이 좋지 못한 모양이군."

"그… 러게 말입니다."

씁쓸하게 같은 말을 되풀이하는 체바로.

"괜찮나?"

"아직까지는."

"더 있다가는 죽을 것 같다는 말이로군."

"지금도 죽을 것 같습니다."

"쯧, 그렇게 허약해서야."

"어쩝니까? 검이 맞지 않는 것을 말입니다."

"하긴 사람이란 재능이라는 것도 있고, 흥미라는 것도 있는 것이니까. 다 잘 할 수는 없는 법이고."

"이미 알고 있습니다. 꿈을 실현시키기에는 내가 너무 나약하다는 것을 말입니다. 그건 그렇고 지금 이 상황을 좀."

"해결하러 온 게지. 안 그러면 왔겠나?"

그에 빤히 아론을 바라보다 제 버릇 남 못 준다는 듯이 목숨이 경각에 달렸음에도 기어코 자신의 의문을 먼저 푸는 것을 택하는 체바로였다.

"어떻게 아신 겁니까?"

"나도 용병대장이네만."

"그건 압니다."

"우든 마을은 많은 용병들이 있지."

"아무리 그렇다 해도……."

아직 의문이 풀리지 않았다는 듯이 말을 흐리는 체바로. 그런 그를 빤히 바라보다 고개를 저으며 아론이 입을 열었다.

"일단 쉬는 게 어떻겠나?"

"아! 뭐… 조금 힘들기는 하지만 볼 건 봐야겠습니다."

"고집이 좀 있군."

"없었으면 여기까지 오지도 못했습니다. 그런데……."

"쿠테란 마을의 용병들이네."

"뭐… 어나군요. 그런데……."

"오크들이지."

"오크가……."

"오크는 원래 대지의 요정이었네. 고대 천족과 마족의 전쟁 때 천족을 배신해 마족의 편에 서 타락한 것이 문제되기는 했지만 오랜 세월이 지났지 않은가?"

"하지만……."

"이 상황에서 궁금한 것도 많군."

"아!"

아론이 대동한 것은 카툼과 그를 따르는 회색 오크 전사들이었다. 그들은 이미 전투에 돌입한 상태였다. 그들은 모습을 드러내자마자 우든 마을과 토툰 마을의 용병들을 공격하기 시작했다. 비록 그들이 150명이라고는 하나 회색 오크 전사들을 당해내기란 요원한 일.

"크아아아악!"

마지막인 듯한 용병의 비명이 울려 퍼졌다.

그리고 남은 이는 사일러스와 조엘뿐이었다.

아론의 무심한 시선이 그들에게로 향했다.

"네놈은……."

"임페리움 용병대의 대장 아론이라고 하지."

"임페리움 용병대의 부대장 카툼이라고 한다."

"……."

너무나도 자연스러운 하대와 자기소개. 둘의 태도는 싸움을 하기 위해 이곳에 온 것이 아니라 마치 산책이라도 온 듯이 차분하기 그지없었다.

그들의 태도를 멍하게 바라보던 사일러스와 조엘은 눈살을 찌푸리며 주변을 둘러봤다.

150명에 이르는 용병들이 주검이 되어 쓰러져 있었다. 그러다 문득 아직도 빳빳함을 유지한 채 자신의 해머에 박혀 있는 나뭇잎을 바라보는 조엘은 떨리는 목소리로 아론에게 물었다.

"이것 역시……."

"아! 아직 힘을 풀지 않았군."

그 말과 동시에 해머에 절반 이상 박혀 있으면서도 빳빳함을 유지하고 있던 나뭇잎이 흐물흐물해졌다. 원래 그대로의 나뭇잎이 된 것이다.

꾸울꺽!

조엘과 사일러스는 동시에 마른 침을 삼켰다.

자신들이 상대할 수 없는 고수라는 것을 깨달은 것이었다.

"토튼 마을과 우든 마을의 일이오."

"그래서?"

"외지의 용병들이 참여할 일이 아니란 말이오."

"용병이면 다 같은 용병이지 외지니 내지니 할 필요는 없잖아? 언제부터 용병들이 그렇게 편 가르기에 능했다고."

"토튼 마을과 우든 마을이 두렵지 않소?"

"두려웠다면 내가 네놈들의 행사를 막았을까?"

"정녕……."

"뭔가 크게 착가하고 있는가 본데 말이지."

"……."

아론이 무슨 말을 할지 몰라 말문을 닫은 두 사람.

"용병은 강자존이라며? 약한 놈은 강자에게 먹히는 게 당연한 거라며? 그리고 어디서 내 뒤에 힘 센 형이 있다고 지랄이냐? 힘 센 형이 중요한 게 아니라 너희들이 중요한 거 아니냐?

뭣도 없으면서 뒤에 힘 센 형만 타령하고 있을 거냐?"

"이……."

아론의 적나라한 말에 이를 갈 뿐, 아무런 대답도 못하는 둘의 눈에는 악독한 빛이 떠올랐다. 이래 죽으나 저래 죽으나 마찬가지 아닌가? 죽을 때 죽더라도 그냥 물렁하게 죽을 수는 없지 않은가?

"왜? 한번 해 보게? 그거 좋지."

무기조차 꺼내지 않은 아론.

그가 무심하게 그들 앞으로 걸음을 옮겼다.

"거참. 닭 잡는 데 소 잡는 칼을 사용할 필요 있겠습니까?"

그때 누군가 앞으로 나서며 입을 열었다. 하지만 아론은 이미 그가 누군지 알고 있었다.

바로 카툼이 이끄는 회색 오크 전사들의 이인자인 블랙해머였다. 그는 어느새 두 자루의 둠해머 두 자루를 꺼내 들고 아론의 옆에 서 있었다.

"몸이 근질근질한가?"

"제가 아무리 머리를 쓴다고 해도 근본 태생이 오크잖습니까?"

"하긴 뭐 그렇겠네."

그러면서 자신의 뒤에 있는 카툼을 바라봤다. 카툼이 아무리 그레이트 마스터에 오른 오크라 할지라도 그도 역시 오크였다. 하지만 그는 귀찮다는 표정이 역력했다. 이미 상대에 대한 흥미를 잃은 것이었다.

"나는 신경 쓰지 않아도 돼."

그가 툭 내뱉은 말이었다.

"뭐 좀 거하게 힘 좀 쓸 일인가 했는데 이런 경우는……."

"좀 아쉽기는 하지?"

"많이."

"부대장이 나서지 않는데 대장인 내가 나서기에는 좀 그런가?"

"그렇지요. 그래도 대장인데 말입니다."

블랙해머가 당연하다는 듯이 답을 했다.

"그것은 블랙해머님도 마찬가지 아닙니까?"

또 다른 이가 앞으로 나서며 입을 열었다. 바로 모부투와 카리크. 그리고 우타치와 모툼바였다. 그들은 오랜만에 자신과 비슷한 수준의 인간을 보고 강한 호승심을 내비치고 있었다. 그런 그들의 태도에 조엘과 사일러스의 얼굴은 딱딱하게 굳어져 있었다.

"이런… 개……."

"우린 오크다만?"

자존심이 상한 조엘이 무언가 육두문자를 내뱉으려는 순간 블랙해머가 그의 입을 막아버렸다.

그리고.

"아무래도 교육을 좀 시켜야 할 것 같습니다."

"적당히 해."

그러면서 돌아서버리는 아론. 그에 블랙해머의 입이 벌어졌다. 나머지 앞으로 나섰던 중대장들은 조금은 불만스러운 표정을 지어보였다. 그러다 이내 수긍을 한 듯 자리로 돌아갔다. 바로 아론이 적당히 하라며 지목한 것이 바로 블랙해머였기 때문이었다.

블랙해머는 앞으로 나서며 두 자루의 둠해머를 가볍게 붕붕 휘둘렀다. 그의 모습은 전혀 긴장하지 않은 모습이었다. 오히려 두 명임에도 불구하고 조엘과 사일러스가 더 긴장한 모습이었다. 그들은 본능적으로 블랙해머가 절대 간단치 않은 오크라는 것을 안 것이었다.

"죽엇!"

그들은 블랙해머가 자세를 다 잡기도 전에 기습을 했다. 하지만 블랙해머는 당황하기는커녕 오히려 그럴 줄 알았다는 듯이 입을 씰룩였다.

"역시 비겁한 새끼들은 오크들이나 인간이나 똑같다니까."

그 말과 함께 그가 움직이기 시작했다. 그리고 비명이 들려왔다. 그 비명의 진원지는 바로 조엘과 사일러스였다. 그들은 분명 중급에 이른 실력자임에 분명했다. 하지만 월등한 신체 조건과 실력을 가진 블랙해머에게는 아니었다.

빠버버버벅!

요란한 소리가 들려왔고, 잠시 그들의 모습을 멍하게 바라보던 체바로가 고개를 절레절레 저으며 입을 열었다.

"대… 단하군요."

"저 정도는 해야지. 그건 그렇고……."

"다시 탈환해야지요."

"그리고?"

아론의 말에 그를 빤히 올려다보는 체바로. 그러다 나직하게 한숨을 쉬며 입을 열었다.

"통합하시려는 것 아닙니까?"

"그래."

"이미 쿠테란 마을은 이동하기 시작했겠군요."

"똑똑한 놈은 이래서 좋아."

"만약 우든 마을을 다시 회복한다면 우든 마을 역시 플랑드르로 이주하겠습니다."

"역시 편해."

"그전에……."

"토툰 마을을 정리해야겠지."

"알고 계셨습니까?"

"내 머리는 장식이 아니니까."

아론의 말에 피식 웃어버리는 체바로.

"쉽지 않을 겁니다."

"물론, 쉬울 것이라고 생각하지 않아."

"방법은 있으십니까?"

"내가 왜 그걸 생각해?"

그러면서 체바로를 빤히 바라보는 아론. 마치 지금 이 순간부터 체바로의 역할은 이미 정해져 있다는 듯이 말이다. 그 의미를 알아 챈 체바로. 그는 힘들게 자리에서 일어나 다시 무릎을 꿇고, 오른 손을 가슴에 두고 입을 열었다.

"체바로 카스티안이 마스터를 뵙습니다."

"성이 있었어?"

"있으면 안 됩니까?"

"아니, 그런 건 아닌데……."

"제가 그냥 붙였습니다."

"왜?"

"있어 보이지 않습니까?"

"후우~"

체바로의 답에 가볍게 한숨을 내쉬는 아론. 그러는 동안 블랙해머는 조엘과 사일러스를 아주 잘근잘근 다져 놓고 있었다. 아론이 그들에게 시선을 두었을 때 고기인지 사람인지 구분이 안 갈 정도로 말이다.

짧은 시간이었지만 그들은 이미 정신은 붕괴되고 있었다.

"재들 왜 저러냐?"

"생각보다 약하더군요."

"그래? 그럼 데려와 봐. 심문을 해야 하니까."

"알겠습니다."

CHAPTER 7
우든 마을 I

블랙해머가 질질 끌고 오는 인물 두 명.

얼마나 두드려 팼던지 형체를 제대로 볼 수 없을 정도였다. 그만큼 망신창이가 되어 있었다.

"쯧, 적당히 좀 하지."

"이놈들 눈빛이 마음에 들지 않아서……."

"그래?"

별로 대수롭지 않게 대답한 아론은 발로 축 늘어져 고깃덩어리를 연상시키는 사일러스와 조엘을 툭툭 건드렸다.

"일어나라."

꿈틀.

하지만 둘은 여전히 미동조차 없었다. 아니 꿈틀거리기는 했다.

일어날까 말까 고민하는 것 같은 모습이었다. 그에 아론이 피식 웃으며 블랙해머를 바라봤다.

"아직 덜 맞은 것 같구만."

"죄송합니다."

움찔.

그에 두 명은 움찔거리는 것은 착시인 듯 같았으나, 착시는 아니었는지 블랙해머의 얼굴이 불편해졌다.

"쯧, 인간들이란……."

"나도 인간이다."

"아! 죄송합니다."

"말 함부로 하지 마라. 너도 그 인간들과 같아질 수 있으니까."

"조심하겠습니다."

그의 얼굴이 변했다. 그리고 그의 변한 얼굴은 고스란히 아직도 시체처럼 늘어져 있는 사일러스와 조엘에게로 향했다.

"퉤!"

둠해머는 아예 집어넣고, 손바닥에 침을 탁 뱉어 낸 후 축 처져 있는 두 명의 용병들을 바라봤다.

"그렇단 말이지? 연기였단 말이지? 그래, 어디 한 번 죽어봐라."

그 순간이었다.

시체처럼 늘어져 있던 사일러스와 조엘이 어느새 정신을 차리고 무릎을 꿇고 있었다.

"뭐냐?"

눈살을 찌푸리며 둘을 내려다보는 블랙해머.

"뭐든 물어보십시오."

잔인한 모습은 어디에도 없었다. 있다면 오로지 비굴한 모습뿐이었다. 그런 둘을 잠시 바라보던 블랙해머는 어처구니없다는 듯한 표정을 지어보였다. 그리고 돌아섰다. 그때 눈에서 악독한 빛을 내뿜던 조엘이 번개처럼 튕겨져 올랐다.

"죽어! 이 개새끼야!"

"어허~ 난 개가 오니라 오크라니까."

어느새 돌아섰을까? 마치 이럴 줄 알았다는 표정을 짓고 있는 블랙해머. 그는 웃고 있었다.

"나쁜 새끼들이 괜히 나쁜 새끼들이겠어? 끝까지 나쁜 짓을 하니까 나쁜 새끼지. 그리고 안 이랬으면 내가 서운했을 거야. 죽을 놈이 착한 놈이 되면 손을 쓸 수 없잖아."

퍼억! 퍼억! 퍽! 퍽!

비명은 없었다. 아니 비명을 지를 수가 없었다. 블랙해머는 아예 조엘의 입을 틀어막고 두드리고 있었기 때문이었다. 물론, 손으로 틀어막은 것은 아니다. 어디를 어떻게 했는지 그저 입만 벙긋거리면서 비명을 내지 못하고 있었다.

"어허~ 이거 상당히 좋습니다. 마스터."

블랙해머는 아론을 마스터라 불렀다.

"시끄러운 개를 패는 데는 최고지."

"그러게 말입니다."

그러면서 시종일관 그의 주먹과 발은 멈추지 않았다. 그에 조엘의 몸은 자신의 몸이 아닌 양 제멋대로 이리저리 움직이고 있었다. 피도 튀지 않았고, 비명도 없었다. 그 옆에서 그것을 지켜보고 있던 사일러스는 그저 식은땀을 흘릴 뿐이었다.

'지, 지독한…….'

묻지도 않았다.

그저 패기만 했다.

그것이 오히려 더 무서웠다.

툭!

스스로의 의지가 아니라 강제적으로 허공으로 떠올라 있던 조엘이 끈 떨어진 연처럼 툭 떨어져 내렸다. 사일러스의 눈은 부지불식간에 떨어져 내린 조엘의 모습이 보였다. 비명이 없고, 피가 없었을 뿐 그의 모습은 처참하기 그지없었다.

그때 아론이 다시 모습을 드러냈다.

"묻자."

"뭐, 뭐든지……."

반사적으로 나온 사일러스의 말이었다.

"우든 마을은 어떻게 됐지?"

"지, 지금쯤이면 이미……."

"부촌장에게 점령당했을 겁니다."

대답은 사일러스가 아닌 체바로의 입에서 나왔다.

"너한테 묻는 거 아니다. 예상이 아니라 확실한 상황을 묻는 거니까."

"알겠습니다."

"전체적인 상황을 풀어봐."

그에 사일러스는 슬쩍 체바로를 바라본 후 첫 마디를 무엇으로 꺼내야 할지 정했다.

"촌장은 아직 살아 있습니다."

"인질이겠군. 혹시나 반발하는 세력이 있으면 그를 인질 삼아 그들을 흡수할 생각이겠지."

"그것까지는……."

"계속해 봐."

"아마도 저항하던 대부분의 용병들 역시 일부를 제외하고는 대부분 살아 있을 겁니다."

"머리를 나름 썼군."

"그렇지 않았다면 세력을 만들지 못했을 겁니다."

"그래. 그렇겠지."

연속된 사일러스의 말에 고개를 끄덕이며 인정하는 아론이었다. 아무리 인물이 좀스럽고 욕심이 많다고 해도 기본적으로 사람을 끌어들이는 힘과 그만큼의 지도력을 가지고 있기 때문이기 때문이다.

"어쨌든 우든 마을의 용병들이 모두 죽은 것은 아니란 말이로군."

"부촌장은 그렇게 무모한 사람이 아닙니다."

"그래서 토툰 마을을 끌어 들였나?"

"그것은……."

"거기에서부터 시작한 것이다. 아무리 힘들더라도 스스로의 힘으로 일어서야 하는 법이다. 스스로 힘으로 얻고 지켜내야지만 성취감이 드는 것이고 말이다. 만약 이 상황이 종료된다면 부촌장은 어떻게 변할지 생각해 봤나?"

"그것은……."

사일러스는 말을 하지 못했다.

부촌장이 촌장처럼 인덕을 가지고 있는 것은 분명 아니었다.

그러기에는 부촌장의 성정은 너무 거칠었다. 평소 촌장의 인후함을 마음에 들어 하지 않고, 토툰 마을에 뒤지는 것에 불만을 품은 자들이 부촌장에게로 붙은 것이니까. 그러고보면 이것도 참 우스운 일이었다.

토툰 마을을 없애버려야 한다고 부르짖던 우든 마을의 용병들이었다. 그들이 보기에도 토툰 마을의 용병들은 살인자나 무법자와 다르지 않았다. 밝혀지지 않아서 그렇지 토툰 마을의 용병들은 살인, 강간, 방화, 인신매매 등 온갖 패악질이란 패악질은 다하고 다녔다.

그래서 우든 마을의 용병들은 그들을 용병 계에서 몰아내야 한다고 주장했다. 그런데 촌장은 현재 우든 마을의 상태로는 그들을 몰아내기 힘들다고 주장하면서 조금 더 힘을 키우자고 했다.

그에 반발한 이들이 바로 부촌장에게 가담한 이들이었다. 실제 토툰 마을의 용병들은 분명히 귀족들의 비호를 받고 있었다. 귀족들은 가문의 위신과 체면 때문에 드러내서 하지 못한 더러운 일들을 토툰 마을의 용병들에게 의뢰했다.

토툰 마을의 용병들은 아주 충실하게 그 일을 수행했고, 그들은 쿠테란 마을과 우든 마을의 용병들 모두가 합친 것보다 더 강력한 자금력과 세력을 갖출 수 있었다. 거기에다 귀족들의 비호까지 받으니 촌장의 말은 당연한 것이었다.

하나, 가끔 사람들을 선동하기 좋아하는 이들은 그것을 교묘하게 이용한다. 마치 용병이 정의의 사도나 되는 것처럼 치켜세워 그들의 영웅심을 촉발시킨다. 그리고 '우리'라는 울타리에 가둬버린다.

살아 있는 꼭두각시를 만들어 버린다는 것이다. 인간이란 참으로 이상해서 상당히 객관적이면서도 자신이 옳다고 생각하는 것이 있으면 물불을 가리지 않고 그 생각을 맹목적으로 따르는 경우가 비일비재했다.

애초에 자신이 가고자 하는 방향이 어떤 곳인지도 모르고 말이다. 그렇게 맹목적으로 따르다 정신을 차리고 눈을 뜨고 주변을 돌아 봤을 때 피폐해질 대로 피폐해진 자신의 모습을 볼 수 있게 된다.

그들은 절망하고 절규한다. 그들의 주변에는 그 어떤 것도 남아 있지 않는다. 그렇게 그들은 살아갈 것이다. 회한 속에서 더 극한으로 자신을 몰아붙이거나 자포자기한 채 악인이 되어 간다.

결국 용병들은 더욱더 깊은 나락으로 빠질 것이다. 그리고 그들을 깊은 나락으로 빠뜨린 자는 여유작작하며 그들의 모습을 이용하고 즐길 것이다. 어둠 속에서 흰 이를 드러내면서 말이다.

지금 우든 마을은 그런 나락의 구렁텅이로 빠지고 있었다. 스스로 옳다고 행하면서도 그렇게 증오하는 토튼 마을의 용병들에게 손을 벌렸고, 함께 거사를 치렀다. 목적을 위해서라면 어떤 수단을 동원해서라도 반드시 이뤄야 한다는 생각으로 말이다.

혹은 강하지 않으면 사내가 아니라는 말도 안 되는 허황된 꿈에 잠겨 치명적인 오류를 범하고 있는 것이었다. 그들은 결국 그렇게도 증오하던 토툰 마을의 용병들과 전혀 다르지 않은 행동을 서슴없이 행동하고 있는 것이었다.

그리고 그런 자신들의 오류를 알았을 때 그들은 더 이상 부촌장의 마수에서 벗어날 수 없을 것이다. 이미 약점이 잡혔으니까. 어디를 가도 그들은 결국 촌장을 배신했다는 것과 그렇게 증오하던 토툰 마을의 용병들과 다르지 않은 행동을 했다는 것은 변하지 않은 사실이니까 말이다.

사일러스는 그것을 너무 잘 알고 있었다. 비록 알바트론 그가 싫어서 부촌장의 편에 서긴 했지만 내심 불안하기는 마찬가지였다. 그는 자신도 모르게 알바트론을 바라봤다. 그때 마친 알바트론 역시 사일러스를 바라보고 있었다.

“나 때문이더냐?”

“그… 래.”

“어리석은 놈.”

“어리석다? 흥! 네놈이 그런 말을 할 자격이 있더냐?”

“자격? 무슨 자격 말이더냐.”

“흥! 모른 척하는 것이냐? 5년 전 사건을 말이다.”

"5년 전?"

그에 알바트론은 인상을 찌푸리며 기억을 떠올리고 있었다. 하지만 생각나는 것이 없었다.

"무슨 말이지?"

다시 되묻는 알바트론. 그에 사일러스는 분통이 터진다는 듯한 얼굴을 하고 있었다. 어떻게 그것을 모를 수 있느냐는 듯이 말이다.

"5년 전 너는 그린리버로 상단 호위를 나갔을 것이다."

"그런 적 있었던 것 같군."

"거기서 넌 한 거지 소년을 보게 됐을 것이다."

그제야 생각이 난다는 듯이 고개를 끄덕이는 알바트론. 그런데 그게 대체 자신과 무슨 상관이냐는 듯한 얼굴이었다. 하지만 사일러스는 여전히 경멸하는 듯한 표정을 떠올리고 있었다.

"물론 만났다."

"어떻게 했지?"

"사정이 딱하고, 나이가 어려 보여 상단주에게 부탁해서 그 상단에서 일할 수 있도록 조치했다. 내 기억에는 상당히 똘망똘망했던 기억이로군. 한데, 그게 나와 무슨 상관이냐?"

"상단주에게 부탁해서 상단에서 일하도록 했다고?"

"그래."

뭔가 자신이 생각했던 것 아니 들었던 것과 전혀 다른 전개가 있는지 살짝 얼굴의 표정이 변하는 사일러스.

"그게 너와 무슨 관계가 있나?"

"죽었다."

"뭐?"

"죽었다고, 이 새끼야. 그 상단주라는 놈이 겁간을 해서 자살했다고 이 거지같은 새끼야. 책임지려면 끝까지 질 것이지 왜 상단주에게 넘겨서는……."

"…그런데?"

한동안 말을 하지 못하던 알바트론이 뭔가 의심이 가는 것이 있는지 계속하여 물었다.

"그게… 너와 무슨 상관이지?"

"내… 아들이다."

"뭐?"

"내 아들이라고."

"그… 잃어버렸다던 그……."

"그래! 그래! 그놈이 내 아들이다."

"……."

멍하게 사일러스를 바라보는 알바트론. 그러다 인상을 찌푸렸다. 의외의 전개에 그 역시 당황하고 있는 것이었다.

"혹시 그때 상단 호위에 테드도 있었지 않나요?"

"그걸 어떻게……."

"내가 알기로 그 상단주는 남색가가 아닙니다."

"그게 무슨……."

"알바트론 아저씨는 상단 호위를 끝까지 하지 않았지요?"

"아! 그래. 그때 부촌장의 화급을 다투는 일이라는 인편을 받고 로니와 함께 쿨데란으로 이동했지."

"그런데 쿨데란에 무슨 일이 있었던가요?"

"몬스터 웨이브 때문에 몸살을 앓고 있었다. 다만, 내가 도착했을 때는 몬스터 웨이브가 끝난 상태였고."

"사일러스 아저씨. 아저씨는 언제 아들의 행적을 찾았고, 어떻게 아들이 죽은 경위를 알게 되었지요?"

"그건……."

망설이는 사일러스.

"아마 테드가 주정부리듯 말을 흘렸겠지요."

"그, 그래……."

"아귀가 너무 딱 맞아 들어가지 않나요?"

"무슨……."

"그린리버에서 쿨데란까지 빠르게 달리면 보름, 늦으면 한 달이 걸리는 거리지요. 그리고 다시 알바트론 아저씨가 우든 마을까지 오려면 족히 두 달 정도는 걸리겠지요. 서두를 필요는 없으니까요. 그렇게 해서 총 세 달. 그동안 무슨 일을 만들어 내기에는 충분한 시간이군요."

"……."

사일러스는 말없이 알바트론과 체바로를 쏘아봤다.

"그 말은… 나를 포섭하기 위해 내 아들을 희생양으로 삼았다는 건가?"

"알바트론 아저씨에게 가장 타격을 줄 수 있는 사람이 누굴까요? 우든 마을에서 다섯 손가락 안에 꼽히는 무력을 지닌 아저씬데요."

체바로의 말에 있는 대로 얼굴이 찌푸려지는 사일러스였다. 원래 알바트론과 사일러스는 오래고 돈독한 친구사이였다. 그런데 5년 전 어느 날부터인가 사일러스가 알바트론을 적대시했다. 알바트론은 갑자기 변한 친우의 모습에 적잖게 당황했고, 그 원인을 찾으려 했으나 결코 찾을 수 없었다.

당시 알바트론은 상급을 목전에 두고 있었음에 그 충격으로 지금까지 중급에 머물러 있었다. 그만큼 오랜 친우의 돌변은 그를 힘들게 했다.

"그럼 이 모든 일이……."

"지금 추측으로는 알바트론 아저씨와 양 아버지 측에 충격을 주고, 자신의 세력을 불리려는 부촌장의 계략처럼 보이네요."

"그런……."

"어찌……."

체바로의 추측에 둘은 할 말을 잃어버렸다. 그래도 우든 마을의 2인자인 부촌장이었다. 그런데 그가 배후에서 행한 행동은 토툰 마을의 용병들보다 더 악독했다.

"한 가지 더 첨언하자면."

그때 아론이 그들의 대화 속에 뛰어들었다.

"당시 전쟁 용병을 끝내고 우든 마을에 든 우리를 제거하려고 했던 무리가 있었지. 그 무리들은 바로 검은 달이라는 어쌔신 조직이더군. 그리고 그들은 부촌장에게 청부를 받았다고 하더군."

"왜?"

"그의 제안을 받아들이지 않았거든?"

아론의 말에 고개를 갸웃하는 체바로. 아무리 전쟁 용병이라고 하지만 우든 마을에 소속되지 않은 용병들에게 제안을 하려는 것은 있을 수 없는 일이었다. 부촌장의 성격을 보자면 말이다. 그는 소속 용병과 소속되지 않은 용병들을 철저하게 가르는 편이었으니까.

"알지? 그때 내 곁에는 플람베르의 소가주가 있었다는 것을 말이야."

"하지만……."

"물론, 나중의 일이지. 하지만 지금 생각해보면 부촌장은 어떤 경로를 통했든 길버트와 나의 관계를 알았던 거야. 그리고 그것을 이용할 생각을 했고 말이지. 더군다나 그때 나와 제라르 그리고 얀센은 중급의 용병으로 알려졌었거든."

하나둘 부촌장의 악행이 드러나기 시작했다. 그의 악행을 들은 사람들은 치를 떨 수밖에 없었다. 부촌장 그는 겉으로는 토툰 마을을 반드시 없애야 하고 그들을 용병계에서 추방해야 한다고 주장했지만, 실제로는 그 뒤에서 그들과 은밀히 손을 잡고, 우든 마을의 불화를 촉진시키고 있었던 것이다.

"결국 지금의 이 모든 상황은 부촌장에 의해서 만들어진 것이네요."

체바로는 나직하게 한숨을 쉬며 입을 열었다. 자신도 머리를 꽤 쓴다고 자부했지만 이것은 그야말로 뒤통수를 제대로 맞은 느낌이었다. 물론, 그것은 부촌장에 대한 평가를 잘못 내린 자신의 방심 때문에 일어난 일이었고 말이다.

사람들의 시선이 고개를 푹 숙이고 있는 사일러스를 향했다. 그의 모습은 그야말로 처참했다. 블랙해머에게 두드려 맞아 아직도 정신을 차리지 못하고 간헐적으로 부들부들 떠는 모습을 보이는 조엘보다 더 처량했다.

"허… 허… 허허허!"

그가 고개를 들어 하늘을 보며 허탈한 웃음을 흘렸다. 그때 알바트론이 무릎을 꿇고 그런 사일러스의 어깨를 꽉 움켜쥐며 입을 열었다.

"복수하자."

"복수……."

사일러스의 두 눈에는 눈물이 끊임없이 흘러내리고 있었다. 초점이 맺히지 않은 모습이 상당한 충격을 받은 것 같았다. 그에 알바트론이 먼저 나선 것이었다. 그가 어떻게 할지 몰랐기 때문이었다.

"나는……."

"누구라도 그 상황이었으면 그랬을 것이다."

"그… 런가?"

"그래."

"허허… 어허허허!"

둘의 모습을 지켜보던 카툼이 인상을 찌푸리며 입을 열었다.

"인간들의 삶이란 참으로 복잡하군."

"그건 오크도 마찬가지 아닌가? 너 역시 결국 흑마법에 당한 동족들에 의해 쫓겨난 것이 아닌가?"

아론은 서슴없이 카툼의 아픈 곳을 찔렀다. 하나, 카툼은 별로 아픈 표정을 짓지 않았다. 아니 오히려 고마워했다. 자신의 나약해지려는 마음을 아론이 다잡아 줬기 때문이었다.

"그렇군. 그것도 욕심이겠지?"

"인간이나 다른 종족이나 욕심에서 벗어날 이유는 없다. 그중 오크족은 유별나게 탐욕스러울 뿐. 물론, 인간보다는 조금 덜하긴 하지만 말이지."

"그렇군. 그러면 이제 어떻게 해야 하나?"

"우든 마을을 되찾아야지."

"이 인원으로 말입니까?"

"불가능하다고 생각하나?"

"그건… 아니지만."

말을 흐리는 체바로. 확실히 대단한 전력이기는 했다. 2천 명에 이르는 오크족 전사들이니까. 그것도 회색 오크족이지 않은가? 하지만 수에는 장사 없다고 상대는 우든 마을이다. 아직 채 정비를 마치지 못했다고는 하지만 가볍게 몇 만을 넘어가는 용병들이 있다.

"머리를 잘 쓴다며? 머리를 좀 써봐."

"그건……."

말을 하다 만 체바로는 곰곰이 생각에 잠겨들었다. 그런 체바로를 둔 채 아론은 자리에 주저앉아 휴식을 취했다. 그에 카툼 역시 그의 곁에 앉으며 물었다.

"방법이 있나?"

"머리 쓰는 수하 두고 대장이 머리 쓰는 거 아니다."

"음……."

서로의 영역이 달랐다. 말은 그렇게 해주고 있지만 아론은 체바로의 영역에 발을 디디지 않고 있는 것이었다. 그에게 이것이 고통일지 아닐지는 모르지만 스스로 그렇게 말을 했다면 그 말을 지켜주는 것이 이끄는 자로서의 역할이었다.

"그나저나 저놈은 어떻게 할 건가?"

그에 아론은 블랙해머를 슬쩍 바라본 후 입을 열었다.

"알아서 해."

"그 말이 제일 무섭습니다."

하지만 블랙해머의 얼굴이 꿈틀거리면서 웃음을 떠올렸다. 마치 그 말을 기다렸다는 듯이 말이다. 그는 둠해머를 귀신같이 쓰는 해머 마스터이지만 근본적으로 현재 카툼이 이끄는 회색 오크족 전사의 2인자로 인간으로 치면 책사 참모장의 역할을 하고 있었다.

그리고 그는 이미 아론의 의도가 뭔지 잘 알고 있었다. 그것을 증명이라도 하려는 듯이 거침없이 기절해 있는 조엘의 말을 잡고 질질 끌고 숲속으로 사라졌다.

"그리고 저놈들은?"

턱짓으로 무릎을 꿇고 있는 이들을 가리켰다. 150명이 넘어가던 그들 중 살아남은 이들은 겨우 50~60명 정도였다. 하지만 그들도 역시 성한 모습은 절대 아니었다. 그냥 처참했다. 그 이상 표현할 길이 없을 정도로 말이다.

"살려줘야지."

"문제가 될 것 같은데."

"살려준다고 했지, 풀어준다고는 안 했으니까."

"그런 말인가? 역시 인간들의 말은 어렵군."

"이제 알 때도 됐을 것 같은데?"

"아니 아직 어렵다."

"뭐 상관없겠지."

그렇게 실없는 대화를 하는 동안 조엘을 끌고 숲으로 들어갔던 블랙해머가 역시 들어갔던 때와 다르지 않은 모습으로 다시 조엘을 발목을 잡고 질질 끌며 돌아왔다. 그리고는 아무렇게나 던져 놓고는 아론에게 보고를 시작했다.

"토튼 마을에서 2만의 용병들이 출발했다고 합니다."

"그게 무슨……."

블랙해머의 말에 사일러스가 되물었다. 그가 놀라는 것도 당연할 것이다. 애초에 우든 마을과 토튼 마을은 별개의 용병 마을이었다. 그런데 블랙해머라는 오크의 말에 의하면 토튼 마을은 지금 우든 마을을 집어 삼킬 생각이었기 때문이었다.

"상당히 대규모로군."

"그 정도는 되어야 우든 마을을 접수할 수 있을 테니까요. 오히려 조금 수가 모자란 듯합니다."

이제 완연하게 호흡을 가다듬은 체바로가 입을 열었다.

"고작 2만으로 가능할까?"

"아마 더 있을 겁니다. 저기 널브러진 고깃덩어리가 알고 있는 것만 2만일 겝니다. 대외적으로 우든 마을과 토툰 마을의 전력은 비등하니까요."

"그래. 그럴 것 같긴 하더군. 그럼 얼마간 더 있다고 봐도 되겠지?"

"아마 남으로 향하는 퇴로를 열어둔 채 삼면에서 공격이 이어질 겁니다."

"남쪽?"

"그쪽에 토툰 마을을 절대적으로 지지하는 귀족이 있습니다. 아마도 이번에 어떤 모종의 협약이 있었지 않을까 생각됩니다."

"흐음. 그 귀족이?"

"차우세스쿠 백작 가문입니다."

"차우세스쿠 백작?"

"원래는 상인 가문이었으나 상단을 운영하면서 상당한 부를 축적한 자입니다. 물론, 정당한 부는 아닙니다. 마약과 인신매매, 그리고 매춘과 함께 이종족 노예를 이용한 비밀 검투장을 운영해서 벌어들인 돈입니다."

"그 돈으로 작위를 산 것인가? 하지만 백작까지는 어렵지 않나?"

아론의 말에 차베스의 입가에는 씁쓸함이 감돌았다.

"천문학적인 거금이 들기는 하지만 불가능한 것도 아닙니다. 그리고 그의 부는 이미 상상을 초월할 정도여서 인근의 귀족들이나 중앙 정계 쪽의 귀족들 중 그의 돈을 받지 않은 이들은 거의 없을 정도입니다."

"허어~"

옆에서 듣고 있던 카툼이 헛바람을 내뱉었다. 인간들의 세계는 생각 이상으로 복잡했기 때문이었다.

"그런 놈이 왜?"

"이권이 있잖습니까?"

"우든 마을을 쳐서 얻을 것이 있나?"

아론의 질문에 정말 모르냐는 듯이 그를 바라보는 아론.

"머리는 내가 쓰는 게 아니라 네가 쓰는 거다."

"그야… 크음, 알겠습니다. 우든 마을과 관계된 상단이 무려 2백 개를 넘어갑니다. 물론, 중소 상단까지 다 포함해서 말입니다. 거기에 중요 VIP 고객이면 백작이나 후작 가문도 있습니다만 중요한 것은 차우세스쿠 백작이 눈엣가시처럼 여기고 있는 도노프리오 백작 가문이 있기 때문입니다."

"그런데 도노프리오 백작은 뭐 하고 있는데?"

"반란이 있기 전 도노프리오 백작으로부터 연락이 온 것이 있습니다."

"뭔데?"

"이오시프 스틸런 후작이 영지전을 걸었답니다."

"이오시프 스틸런?"

"니콜라에 차우세스쿠 백작에게 가장 돈을 많이 먹은 귀족이라 할 수 있습니다."

"동족 의식인가?"

"차우세스쿠 백작보다 더하면 더했지 못한 놈은 절대 아닙니다."

"미리 계획한 거로군."

"그렇습니다. 아마 이후 쿠테란 마을도 우든 마을과 같이 되지 않을까 합니다."

그에 아론이 눈살을 찌푸리며 물었다.

"그게 무슨 말이냐?"

무언가 짚이는 것이 있다는 듯이 묻는 아론.

"이미 짐작하시지 않았습니까? 그들은 용병들을 자신들의 하수인으로 만들 생각입니다."

"무슨 제국을 뒤집어엎을 생각인가?"

"못할 것도 없지 않겠습니까? 제국에 떠돌고 있는 용병들만 해도 2백만이 넘어갑니다. 그 중 정예만 모아 놓은 것이 바로 용병들의 마을입니다. 우든, 토튼 그리고 쿠테란 마을입니다."

"더불어 용병들의 구심점을 없앤다는 것도 있겠지. 용병들에게 구심점이 생기면 그들 역시 부담스러울 테니까."

"그야……."

"그래서 네가 용병들의 대지를 만들고자 한 것이고 말이지."

"…그렇습니다."

"그런데 그 일이 틀어진 게지. 바로 용병들을 노리는 세력 때문에 말이지."

"역시 맞습니다."

"일이 생각보다 커지는군."

"그러게 말입니다. 그런데 말입니다."

"알아, 이 인원으로는 힘들다는 것을."

"허면……."

"그래도 우리끼리 해결해야 할 일이야. 지금 이 순간 다른 손을 빌린다면 결국 용병들은 절대 그 손을 벗어날 수 없게 된다."

"그야 그렇지만."

"한번 믿어봐라. 니가 부르던 마스터의 힘을 말이지."

"믿습니다."

"안 믿는 것 같군."

"그야……."

"본 적이 없으니 믿을 수 없겠지. 머리로 생각하는 것과 직접 보는 것과는 천양지차로 다르니까. 그리고 임페리움 용병대에는 너만 있는 것은 아니거든?"

그러면서 자신의 머리를 톡톡 두드리는 아론이었다. 그 말인즉슨 머리를 쓰는 사람이 더 있다는 말이 될 것이다.

"일단, 아직 우리의 전력을 파악하지 못했을 테니 지켜보는 것도 괜찮을 것이다."

"알겠습니다."

고개를 숙이며 인정하는 체바로.

"이제 가면 되는 것인가?"

"그래."

"오랜만에 몸 좀 풀어볼 수 있겠군."

"잔챙이들은 애들한테 맡기고."

"그야 뭐……."

마치 건달처럼 대화를 주고받는 아론과 카툼이었다. 이미 상당히 규모가 커져 버린 상황이었다. 토툰 마을의 용병들과 싸워야 했고, 귀족들과 싸워야만 했다. 그럼에도 불구하고 아론과 카툼은 전혀 신경 쓰지 않는다는 듯이 행동하고 있었다.

'일단은 두고 볼 일이다.'

그런 둘을 보며 체바로가 생각한 것이다. 자신은 임페리움 용병대에 대해서 잘 알지 못한다. 안다 해도 정보 길드로부터 전해들은 단편적인 정보일 뿐이었다. 물론, 정보 길드가 허투루 일을 하지 않았겠지만 이들이 숨기고한다면 정보 길드조차 제대로 이들의 진실을 파악하기 힘들 것이다.

지금의 이런 일련의 상황을 대비할 정도라면 말이다. 아론의 움직임이 결코 마음 가는 대로 움직인다는 것이 아님을 증명하는 것이고, 언제나 입버릇처럼 말했듯이 그 자신이 머리를 쓰는 것이 아니라 누군가 머리를 쓰는 것이라면 실로 무서운 두뇌의 소유자라 할 수 있었다.

그런데 정보 길드는 그 무서운 두뇌의 소유자에 대해서는 단 한 줄의 설명도 없었다. 그렇다는 것은 정보 길드 역시 이들에게 속고 있다는 것을 의미했다.

'내가 아는 것은 결국 극히 일부분이자 단편적인 상황일 뿐이다.'

체바로는 기존에 자신이 임페리움 용병대에 대해서 알고 있던 것을 모두 머리에서 지워버렸다. 이제 새롭게 머리에 집어넣어야만 한다. 개개인의 무력은 물론 전체적인 상황까지 모두 말이다.

그렇게 아론과 카툼이 본격적으로 움직이기 시작하는 순간 임페리움 용병대의 또 다른 한 축이 움직이기 시작했다.

"흐음… 감회가 새롭군."

"그러게 말이우."

우든 마을이 멀리 보이는 곳에서 제라르와 브라이언이 대화를 나누고 있었다.

"그런데 이번 싸움에 귀족들도 연관되어 있다는 게 사실이우?"

"뭐 플람베르 가문에서 알려온 일이니 틀리지는 않을 거다."

무척이나 간단하게 답을 하는 브라이언.

"어렵지 않겠수."

"뭐가?"

"아무래도 귀족들이 끼어 있다면 좀 그렇지 않수?"

"좀 그렇기는 뭐가 그래. 어차피 지놈들도 뒤가 구리니까 하는 일인 것을."

"그것도 그렇지만 귀족 놈들 특성이 그렇잖수. 한 놈이 당하면 우르르 몰려드는 거 말이우."

"아니 이번에는 그러지 않을게다."

"왜 그렇수."

"토튼 마을을 지원한 가문이 차우세스쿠 백작이거든?"

"아! 그 개 아들 놈?"

"너도 알긴 아는 모양이구나."

"왜 모르겠수. 이래 보여도 전직 백인대장이우. 형님은 내수하였고 말이우."

"그렇군. 벌써 흘러간 과거가 되었지만 말이야."

"말이 백인대장이지 백인대장이면 할 수 있는 것도 꽤 많고, 들려오는 소문 역시 꽤 많수. 그 중에 차우세스쿠 백작에 관한 것은 많이 접할 수 있지 않겠수?"

"말에 가시가 있군."

"좀 당한 게 있어서 말이우. 그때 백인대는 모르겠지만 우리 백인대는 차우세스쿠 백작의 전쟁상인을 이용하지 않았잖수."

"아! 그래. 들은 적 있군. 그때 누구더라… 뭐 어쨌든 기억은 안 난다만 다른 백인대와 다르게 몸을 풀 전쟁상인이 없다는 것이 불만이라는 놈들이 있었지."

"바로 그거요. 여자를 대주는 전쟁상인이 많기는 하지만 특히 차우세스쿠 백작 아래에 있는 전쟁상인들은 악독했거든. 나이도 어렸고 말이우. 그리고 결정적으로 그놈들은 마약까지 팔았거든. 그리고 만인대장은 뇌물을 먹고 그것을 용인했고 말이우."

"쯧, 썩을 새끼들. 어쨌든 그놈과 간접적으로 얽히긴 얽혀 있었군."

"백인대장이었다니까 그러시우."

"알았다. 알았어."

"그건 그렇고 말이우. 저놈들 꽤 많수?"

"그래, 많기는 하다만 오합지졸이지."

브라이언의 말에 씨익 웃어 보이는 제라르였다. 그들이 바라보는 곳에는 상당한 수의 천막이 보였다. 아직까지 그들은 전투가 시작된 것이 아닌지 굳이 자신들의 존재를 숨기려 하지 않았다.

물론, 이곳은 우든 마을과 상당히 멀리 떨어져 있는 곳이고, 우든 마을은 지금 부촌장에 의해 반란이 진행 중이어서 외부에 신경 쓸 정도도 아니었던 데다 우든 마을 주변에 용병대가 진영을 구축하고 있는 경우가 한두 번이 아니니까 말이다.

하지만 중요한 것은 하필 지금이라는 것이다. 그리고 그 수도 평소보다 두세 배는 많았고 말이다. 어쨌든 우든 마을은 이들을 신경 쓸 여유가 없었다. 그 틈을 노려 이들은 교묘하게 길목을 틀어쥐고 있었다.

그리고 그들을 예의 주시하고 있는 임페리움 용병대였다. 임페리움 용병대 전체가 온 것도 아니었다. 겨우 해야 몇 천의 인원. 상대는 그냥 얼핏 보기에도 만 단위를 넘어가 보였다. 그러함에도 불구하고 제라르와 브라이언은 여유로워 보였다.

"오늘 저녁부터 시작할꺼유?"

"그래야겠지."

"흐흐. 악몽의 밤이 되겠군."

"좋냐?"

"저것들 나쁜 놈들이잖수."

"그래, 그건 그렇다만."

"나쁜 놈들 때려잡는데 기분 안 좋을 리가 있수?"

"하여간 단순해서 좋긴 하군."

"머리는 형님이 쓰면 되는 거 아니우. 그러라고 형님을 참모장에 올려놓은 것 아니우."

"그건 그렇다만……."

"좋으면서 그러지 마시우."

"큭!"

안 좋을 리가 없다. 자신이 원하는 대로 수천의 병력을 움직이는데 안 좋을 리 없지 않은가? 거기에 자신의 능력을 백분 활용할 수 있는 토대를 만들어주고 믿어주기까지 한다. 그러니 세상 부러울 일 없지 않은가?

"어쨌든 늦은 밤부터 시작이다."

"알았수."

그러면서 자리를 떠나는 제라르. 아마도 야간 기습을 위한 준비를 하는 것일 게다. 비록 수백이지만 이미 전원이 익스퍼트에 오른 상황이고 제라르 역시 그레이트 마스터에 올라 있었다. 오크들과의 전투가 제라르에게 큰 도움을 준 것이었다.

그리고 결정적으로 아론은 제라르를 그레이트 마스터에 오르게 하기 위해 아낌없이 베풀었다. 무려 일주일동안 심지어 화장실 갈 시간도 없이 몰아붙였다. 세상에 그런 방법으로 그레이트 마스터에 오를 수 있다는 말은 들어본 적 없었지만 어쨌든 그런 아론의 방법이 통했다.

그리고 최상급에 머물러 있던 자신과 레이, 마이크, 유리, 니콜라이까지 모두 마스터에 오를 수 있었다. 여기서 중요한 것은 바로 레이라는 점이었다. 레이 프리스트. 그는 특전대의 대주가 아니던가?

하나, 그는 무에 대한 갈증을 느끼다 결국 플람베르 소가주와 독대를 한 후 특전대를 나와 임페리움 용병대에 합류하게 되었다. 합류할 당시 그는 이미 마스터에 올라 있었다. 그럼에도 아직 다듬어지지 않아 완성되지 않은 상태였다.

아론은 단박에 그의 상태를 알아봤고, 자신을 포함한 네 명과 대련을 통해서 단련시켰다. 단련은 레이 프리스트를 더욱더 안정화시켰고, 네 명을 마스터에 오르게 했다.

누가 들으면 참으로 기상천외한 방법이라 할 수 있었다. 그렇게 마스터가 되고 그레이트 마스터가 된다면 세상에는 마스터와 그레이트 마스터가 넘쳐날 것이다. 하지만 중요한 것을 간과하고 있었는데, 아론 그 자신이 이미 그랜드 마스터를 뛰어 넘고, 인피티니 마스터에 올라 있었기 때문에 가능한 것이다.

그는 마나를 제어하면서 그들을 몰아붙였고, 그 개개인에게 투로를 적용했다. 그리고 다섯 명 역시 이미 한계까지 다다라 있는 상태였기에 가능했다. 언제 폭발할지 모를 상황, 그것을 다스리고 다독이자 그들은 깨달음의 한 자락을 잡고 마스터에 오르고 안정되기 시작한 것이었다.

아론이 그랬던 것처럼 임페리움 용병대는 자신이 가진 것을 아낌없이 동료들에게 전했다. 평상시야 모르겠지만 싸움이 일어나면 결국 믿을 것은 동료라는 것을 알기 때문이었다. 그리고 그들은 이미 자신들은 개개인이 아닌 하나라는 것을 인지한 상태였다.

오크 전사 3천에 꾸준히 받아들인 용병들까지 해서 겨우 8백 남짓한 인원으로 시작한 임페리움 용병대는 7천 가까이로 늘어나 있었다. 이미 용병대가 아닌 용병단이라 해도 아깝지 않을 정도의 세력으로 늘어나 있는 것이었다.

하지만 아직까지 용병대를 벗어나 용병단이라고 불리는 용병대는 없었다. 사실 용병대나 용병단이나 거기서 거기지 않냐고 말을 한다면 간단하게 소대, 대대, 연대와 여단, 사단, 군단과 같은 개념을 생각하면 될 것이다.

거기에 하나 더 하자면 바로 쿠테란 마을의 전투에 투입된 용병 3만까지 포함해야 할 것이다. 아직까지 정식적인 절차를 밟기에는 시간이 너무 촉박했지만 총 5만의 용병 중 3만이 전투에 참여하게 된 것이다.

이 정도면 해볼 만했다. 임페리움 용병대의 용병은 겨우 2천 정도지만 그와 함께 1만 정도의 이종족 용병들이 함께하고 있었으니까 말이다. 거기에 그레이트 마스터 한 명에 마스터에 이른 자신과 평균적으로 상당한 높은 경지를 가진 이종족 용병들이고 보면 상대가 적어도 5만은 되어야 조금 힘들겠구나 할 정도였으니까 말이다.

소드 마스터를 일인 군단이라고 하면 그레이트 마스터는 일인 왕국과도 같은 존재니까 말이다. 소드 마스터와 그레이트 마스터는 하늘과 땅 차이다. 그리고 그레이트 마스터와 그랜드 마스터는 더욱더 차이가 났고 말이다.

'어쨌든 네놈들은 상대를 잘못 골랐다는 거지.'

누가 알았겠는가?

그 짧은 시간동안 이종족 용병들을 받아들임으로서 이 거대한 용병들만의 대지를 만드는 씨앗을 발아시키고 있음을 말이다. 그 발아 지점이 플람베르라는 거대한 나무의 그늘 속인 플랑드르라는 것을 말이다.

*　　　*　　　*

"어어~ 춥다!"

"겨우 10월인데 이놈의 산속은 입김이 다 나네."

"산속이니까 그렇지."

"그래, 그렇지. 그러니까 내놔봐."

"뭘?"

"꼬불친거 다 알아."

대체 무슨 말인가? 하지만 대화를 나누던 용병은 씨익 이를 드러내며 웃더니 등 뒤로 손을 돌려 무언가를 주섬주섬 꺼내기 시작했다.

"킬킬… 역시."

"알고 말한 거 아니었냐?"

"설마 알았겠냐?"

"그럼 네놈도 내놔봐."

"난 그런 거 안 한다."

"웃기는 소리 하지 말고."

"킬킬… 역시 못 속이겠구만."

그러면서 그 역시 무언가 부스럭 거리며 꺼내 놓는다.

그들이 내놓는 건 바로 술.

용병들로서 추위를 이기는 데 혹은 전투가 벌어지기 전에 그들이 할 수 있는 것은 역시 술이었다. 보초를 서고 있다고는 하지만 이미 누구와 싸우는지 알고, 그 누구라는 것들이 처한 상황이 어떤 것인지 너무나도 잘 알기 때문에 그들은 기강은 풀어질 대로 풀어져 있었다.

더군다나 이곳은 숲이기는 하지만 몬스터로부터 안전한 곳.

적도 없고, 몬스터도 없다.

있다면 단지 입김이 날 정도의 추위.

이 상황에서 도대체 뭘 찾겠는가?

둘은 술병을 마주치며 씨익 웃고는 거침없이 술을 들이켰다.

"크으~"

"이 맛이지, 이 맛이야~"

둘은 당연하다는 듯이 경계를 설 필요도 없다는 듯이 자리에 털썩 주저앉아 주거니 받거니 술병을 기울였다. 속이 뜨끈하고 알딸딸해 지는 기분.

"으음… 좋군."

"그래, 좋지?"

"어, 그래……."

"어? 근데 누구지? 본 기억이 없는데?"

"당연히 본 기억이 없지. 나도 널 처음 보는데."

"뭐?"

라고 놀라는 순간 어둠 속에서 나타난 사내가 너무나도 자연스럽게 단검을 그었다. 눈을 부릅뜬 용병. 그리고 그제야 자신의 정면을 바라볼 수 있었다. 자신과 술을 나누던 놈 역시 목젖이 갈라지며 처형당했다는 것을 말이다.

하지만 그것으로 끝이었다.

그들은 어떤 행동도 할 수 없었다.

이미 죽었으니까.

그리고 그 둘을 죽인 이들은 이미 어둠 속으로 사라져 있었다.

진득한 피 냄새와 쓰러져 술을 게워내고 있는 술병에서 퍼지는 진한 술 냄새만이 가득 채우고 있었다.

CHAPTER 8
우든 마을 II

"마셔! 마셔!"

"크하하하! 병신 새끼들! 지들이 무슨 정의의 사도라고."

"그러게 말입니다. 송충이는 솔잎을 먹고 살아야지요."

"씨발! 이번 일로 그 알량한 자존심 같지도 않은 자존심을 내세우는 우든 마을 놈들을 싹 쓸어야 합니다."

"그래, 그래. 그래서 우리가 여기 있는 거 아니냐."

"그 새끼들은 꿈에도 모를 겁니다. 우리가 이곳에서 대기하고 있다는 것을요."

"알아도 상관없다. 본때를 보여주면 된다."

"맞습니다. 아무리 대단해도 쪽수에는 장사 없는 법 아니겠습니까?"

왁자지껄했다.

우든 마을을 치기 위해 차우세스쿠 백작에게 고용된 용병들이었다. 그들은 어중이떠중이 용병은 절대 아니었다. 사람을 죽일 만큼 죽이고, 못 된 일을 할 만큼 했으며, 개중에는 범죄를 저질러 현상수배까지 걸려 있는 놈들도 있었다.

아니 대다수가 그런 놈들이었다.

그리고 그중에는 기사들도 포함되어 있었다. 겉모습은 기사들이라고 하나 그 기사들 역시 절대 정직하지는 않았다. 그들 역시 살인과 배신을 밥 먹듯이 하고, 온갖 패악질을 일삼는 자들이었다.

겉에 걸린 이름만 기사일 뿐이지 용병들과 전혀 다르지 않음이었다. 하지만 그 누구도 그들을 어찌할 수는 없었다. 그들은 기사였으니까. 차우세스쿠 백작 가문을 지키고 일대를 공포에 떨게 하는 그런 기사 말이다.

그들의 앞에서 용병들은 술을 붓고 여인을 끌어안으며 커다랗게 웃고 있었다. 이곳이 전쟁터인지 아니면 영주성의 기사들의 숙소인지 모를 판이었다. 그들은 거나하게 취했고, 온갖 음담패설을 늘어놨다.

"꺼윽! 잠시 화장실 좀."

"그래, 그래. 다녀와!"

가장 상석에 있는 기사가 외쳤고, 용병은 빠르게 자리를 벗어나 으슥한 곳을 찾아냈다. 그는 바지춤을 내리며 입을 열었다.

"뭐가 이렇게 조용해? 이 새끼들 다들 처자고 있는 거 아냐? 꺼윽!"

그러면서 거하게 트림까지 해보였다. 볼일을 다보고 돌아서는 그 순간 용병의 눈이 커졌다.

"컥!"

답답하고 억눌린 소리가 나며 용병은 자신의 목을 두 손으로 움켜잡았다. 그의 두 손 사이로 진득한 핏물이 베어 나오면서 용병은 고목나무 쓰러지듯 뒤로 넘어갔다. 싸늘하게 식어가는 용병의 시체를 바라보다 이내 무감정하게 돌아서는 자.

"와하하하! 그런데 이 새끼들 벌써 퍼진 거야? 물 좀 버리러 간다는 놈들이 왜 안 와?"

누군가 외쳤다.

그제 용병들과 기사들은 뭔가 상황이 이상하게 돌아가고 있음을 눈치챈 것 같았다. 그에 용병대장인 잭과 제3 기사단장인 리퍼 경이 품에 안고 있던 작부를 밀쳐냈다. 그에 작부들은 빠르게 옷가지를 챙겨 사라졌다.

그녀들 역시 눈치가 있어 지금의 상황이 심상찮다는 것을 느낀 것이리라. 남자든 여자든, 강하든 약하든 자신의 생명에 대한 집착은 언제나 같았다. 특히나 비겁한 일을 저지르며 살아온 이들이라면 자신의 생명에 대한 애착은 더욱더 강할 수밖에 없었다.

남의 눈에서 피눈물이 흘리는 것은 즐거우나 자신의 손톱에 생채기 하나 나는 것을 두려워하는 이들이 바로 그들이었으니까 말이다. 술을 거나하게 취할 정도로 마셨던 기사들과 용병들은 마나를 사용해 술을 태워 버렸다.

물론, 그렇지 못한 자들이 대부분이기는 했지만 어쨌든 용병대장 잭과 제3 기사단장 리퍼 경은 분명 그럴 능력을 가지고 있었다. 또한, 용병대장 잭의 친위대와 리퍼 경을 따르는 열 명의 선임 기사들은 충분히 그럴 만한 능력이 되었다.

그들은 조심스럽게 자신들의 무기를 잡아갔다.

그때 그들의 목에 서늘한 감각이 느껴짐에 무기를 집어 들던 그들의 손이 느릿하게 무기로부터 멀어졌다.

"소속!"

"차우세스쿠 백작 가문에 제3 기사단장 올슨 리퍼다."

"목적은?"

"우든 마을을 공격하는 임무를 띠고 있다."

"역시……."

"네놈들은 누구냐?"

"알아서 뭐하게?"

"네놈들 이러고도 이곳에서 발붙이고 살 성 싶으냐? 지금이라도 늦지 않았다."

"뭐가?"

"칼을 치우면 새로운 삶을 살 수 있게 한다는 말이다."

"네놈 말을 어떻게 믿고?"

"나는 기사다."

"기사? 그래 뭐 살인, 강간, 방화에 인신매매까지. 이게 기사라고?"

"그건……."

주르르륵!

그때 날카롭고 차가운 칼날이 기사의 살갗을 지그시 눌렀고, 피부를 뚫고 검붉은 핏물이 흘러나오고 있었다.

"이런… 난 또 살가죽이 강철로 된 줄 알았네. 익스퍼트의 기사는 칼이 안 들어갈 줄 알았는데 들어가네?"

"원하는 게… 뭐냐?"

"원하는 거라, 뭐든지 들어줄 수 있나?"

"내가 할 수 있는 것이라면……."

"그래, 그렇단 말이지. 그럼 말이야, 이번 작전에 차우세스쿠 백작 가문에서 투입된 병력이 어떻게 되지?"

"그건……."

"말할 수 없나?"

그러면서 다시 칼을 살짝 움직이는 자. 그에 다급해진 리퍼 경이 외쳤다.

"자, 잠깐. 마, 말 하겠다."

"그래, 그래. 남의 목숨은 비루하게 보일지 몰라도 자신의 목숨은 소중하기 그지없게 여기는 당신이라면 당연히 알아야 할 일이지."

"…용병 1만과 기사 5백이다."

"꽤 많군. 어떻게 나눠졌지?"

"서로 2천, 동으로 2천, 그리고 이곳에 용병 6천과 기사 3백이다."

"작정을 했군."

목에 칼을 댄 사내의 말에 리퍼 경은 어색한 웃음을 흘리며 입을 열었다.

"우든 마을은 가망이 없다. 이쯤해서 항복한다면 정상 참작해서 그 죄를 묻지 않겠다."

"정말?"

"정말이다."

"그걸 대체 어떻게 믿지? 내가 알기로 넌 차우세스쿠 백작 가문의 제3 기사단장을 하기 전에 드와이트 가문의 기사였던 것으로 알고 있다."

"그, 그것을 어떻게……."

"어떻게? 모를 것이라고 생각하나? 드와이트 가문의 영애를 강간하고 드와이트 남작과 부인, 그리고 어린 아들까지 살해한 후 영지 문서를 들고 차우세스쿠 백작 가문에 투항한 것을 모를 줄 알았나?"

"그… 꾸울꺽!"

리퍼 경은 마른 침을 삼켰다.

아무도 모를 줄 알았다.

그럴 수밖에 없는 것이 그 대가로 차우세스쿠 백작은 자신을 제3 기사단장의 자리를 줬고, 자신의 모든 죄를 은닉했기 때문이었다. 서로가 이득이 되는 거래였으니까. 물론, 아주 만족한 것은 아니었다.

따지고 보면 남작 가문의 모든 것을 꿀꺽 해버린 차우세스쿠 백작이 상당한 이익을 본 것은 사실이었다. 하지만 귀족을 강간하고 살해한 리퍼 경의 죄악을 감추기 위해서는 상당한 자금이 들어가야만 했던 것도 사실이었다.

어쨌거나 그에 대한 불만은 별로 없었다. 백작 가문의 세 번째 기사단장이 되었고, 무소불위의 권력을 휘두를 수 있었으니까. 그래서 세상 사람들을 비웃었다. 자신이 한 일을 모르고 자신을 대단한 기사라 떠받들고 있었으니까 말이다.

그런데 전혀 의외의 곳에서 자신의 과거의 전력이 드러난 것이었다. 그때 그의 귓가로 차가운 입김이 전해졌다. 입김이 어떻게 차가울 수 있겠느냐마는 어쨌건 그가 느끼는 감각으로는 그랬다.

"잘 가라."

"자, 잠… 끄륵!"

피분수가 일어나며 리퍼 경의 몸이 스르르 무너졌다.

"너무 쉽게 죽인 거 아니우?"

"그게… 나도 좀 아쉽기는 하네."

"그런 놈들은 저잣거리에 걸어놓고 돌멩이로 쳐 죽여야 하는 거유. 형님은 너무 인자해서 탈이어유."

"끄응… 그건 그렇고 어떻게 됐나?"

그에 안으로 들어서 브라이언을 타박하던 제라르가 씨익 웃었다.

"내가 형님처럼 그리 녹록하지는 않지 않수?"

"크음, 그래서?"

"모두 죽였수."

"전부?"

"기사들만 모두 죽였수."

"잘했다."

"뭐 돈 좀 벌어보자고 단순 가담한 자들도 있을 테니까."

"그건 차후 조사해 보면 알 수 있겠지."

"뭐 어쨌든 접수했으니 바로 두 번째 계획을 실행하는 것이 좋겠수."

"그래야겠지."

"그럼 난 나가보리다."

그러면서 거대한 막사를 벗어나는 제라르. 그런 그를 보다 다시 죽은 리퍼 경을 바라본 브라이언은 이내 그의 몸을 뒤지기 시작했다.

"너 같은 놈들은 남들을 믿지 못하지. 그래서 언제나 중요한 것은 몸에 붙이고 다니는 편이고 말이지. 끄으응. 돼지 새끼. 겁나게 무겁네."

그러면서 여기저기를 샅샅이 뒤졌고, 마침내 원하는 것을 얻었는지 그의 얼굴에 미소가 걸렸다. 그가 꺼내 든 것은 얇은 가죽 양피지였다. 브라이언은 재빠르게 가죽 양피지를 묶은 끈을 풀고 안의 내용물을 살폈다.

그리고 그의 미소는 더욱더 짙어졌다.

"차우세스쿠 백작? 너 한 번 어디 죽어봐라."

* * *

"뭐라고?"

"정체불명의 병력이 마을을 둘러싸고 있습니다."

부촌장의 책사인 레지 크리스티와 다섯 명의 친위대 대장이 모여 있었다. 그들이 모인 곳에서 레지 크리스티는 예의 창백한 얼굴과 얇고 붉은 입술을 열어 조근조근하게 말을 하고 있었다. 부촌장 기드빈은 잠시 그런 레지 크리스티를 쏘아보다 나직하게 한숨을 내쉰 후 입을 열었다.

"누구라고 생각하나?"

"토툰 마을의 용병들일 가능성이 높습니다."

"테오필로 이 개새끼……."

나직하게 신음성을 내며 육두문자를 씹듯이 내뱉는 부촌장 기드빈이었다. 언젠가는 이빨을 드러낼 줄 알았지만, 설마 거사를 치르자마자 이빨을 드러낼 줄은 몰랐던 것이다. 아니, 이미 레지 크리스티가 경고했었다.

하지만 당시 우든 마을을 차지하기 위해 혈안이 되어 있었던 기드빈은 그의 말을 무시한 채 거사를 치르고 있었다.

"끄응… 열린 곳은?"

"남쪽입니다."

"남쪽이라면……."

"차우세스쿠 백작 가문이 있는 곳입니다."

"염병……."

까드득!

기드빈은 소리가 울릴 정도로 이를 갈았다.

그는 너무나도 잘 알고 있었다. 토툰 마을과 떼려야 뗄 수 없는 관계를 가진 귀족이 바로 차우세스쿠 백작이라는 사실을 말이다. 말이 살길을 열어뒀다고 하지만 사실은 오거의 아가리로 자신을 몰아낸 것이었다.

보통 이럴 경우 한쪽은 열어 그 저항을 약화시키는 것이 정석이었다. 그 이유는 도망갈 곳 없는 이들이 악에 받쳐 미친 듯이 저하할 수 있기 때문이었다. 하지만 그런 상식쯤은 아예 생각지도 않은 듯 보이는 토툰 마을의 포위망이었다.

이는 아예 상당한 피해를 입더라도 확실하게 씨를 말려 버리겠다는 듯한 의지의 표현쯤으로 볼 수 있었다.

"어떻게 했으면 좋겠나?"

"어쩔 수 없지 않소."

호위대의 대장으로 있는 에드게인이 강철을 긁는 듯한 목소리로 입을 열었다.

"어쩔 수 없다?"

"감금했던 촌장과 그의 호위대 그리고 여전히 저항하고 있는 그 일파를 풀어주고 끌어들여야 합니다."

"하지만… 시간이 없어."

"그들도 죽기는 싫을 겁니다."

"그건 그렇겠지."

"가족을 볼모로 잡으면 됩니다."

"가족?"

살짝 눈살을 찌푸리는 기드빈. 하지만 레지 크리스티의 얼굴은 냉담하기 그지없었다.

"어차피 반란을 획책할 때부터 이미 정해졌던 길입니다."

"하지만……."

"……."

망설이는 기드빈.

말없이 그를 바라보는 레지 크리스티. 마치 감정이 없는 것 같은 느낌이 들 정도였다.

"형님, 더 이상 지체할 수는 없소."

그에 에드게인이 입을 열었다.

"아닌 말로 그들을 끌어들일 수 없다면 우리가 살 수 있는 제물쯤으로라도 사용해야 하는 거 아니오. 망설일 이유가 없소."

"그러면 우리는 토툰 마을 놈들과 똑같은 놈이 돼."

"알게 뭐요. 그것도 살아남아야 가능한 일 아니오."

"그야 그렇지만 명분, 명분이 사라지게 돼."

"제기랄… 용병이 언제부터 명분을 따졌소? 그렇게 명분을 따져서 결국 이렇게 된 것 아니오. 힘이 강해지면 되는 거요. 우든 마을은 접수했으니 상관없고, 이 기회에 토툰 마을과 한

판 붙고 싹 밀어버립시다."

"차우세스쿠 백작은?"

"그들은 움직이지 못할 겁니다."

냉담한 얼굴로 있던 레지 크리스티가 입을 열었다.

"왜?"

"그가 아무리 막 나가는 귀족이라고 하지만 아무런 명분 없이 용병들의 마을을 칠 수는 없기 때문입니다. 그리고 이 세 개 마을은 귀족들 사이에서도 어느 정도 자치권을 인정받고 있으니까 말입니다."

"그건 그렇지만……."

"어차피 진흙 속에 발을 담갔습니다."

"끄응."

가치 없는 레지 크리스티의 말에 기드빈은 앓는 소리를 할 수밖에 없었다.

'어차피 발을 담궜다라… 그래, 그렇지. 내가 성인군자도 아니고.'

그리고 그는 결정을 내렸고, 자리에서 일어났다.

"가지."

"어딜 말이오."

"촌장한테."

"결심한 거요?"

"복수도 살아야 할 수 있는 법이다."

"잘 생각하셨소."

반색을 하며 그를 따라 일어서는 에드게인과 네 명의 친위대. 레지 크리스티 역시 자리를 털고 일어섰다.

"다 갈 이유는 없지. 그리고 레지, 자네는 처리할 일도 많고."

"알겠습니다."

여전히 무표정했다.

그런 그를 남기고 자리를 벗어나는 여섯 명. 그들이 사라진 자리를 물끄러미 바라보는 레지 크리스티.

"후우~"

알 듯 모를 듯 나직한 한숨이 남았을 뿐이다.

그를 남겨두고 촌장이 감금되어 있는 곳으로 향하고 있는 부촌장. 그는 가족을 이용하자는 말을 들었을 때와는 전혀 다른 냉담한 표정이 떠올라 있었다.

"오셨소."

"문 열어."

"알았소."

촌장의 집을 에워싸고 있던 용병이 선선히 길을 열었다. 그에 기드빈 부촌장은 촌장이 있는 집 안으로 들어갔다. 그래도 우든 마을의 촌장이었던 탓에 내부가 상당히 넓어 많은 이들을 감금하기에는 충분했다.

끼이익!

문이 열렸다.

"후우~ 이거 부촌장이 직접 나서다니. 별일이로군."

안에서 예의 날선 말이 들려왔다. 하지만 여전히 부촌장 기드빈의 얼굴은 별반 달라지지 않았다.

"들겠나?"

말없이 자신의 맞은편에 앉은 부촌장을 바라보며 촌장이 입을 열었다. 그에 부촌장은 고개를 끄덕이며 촌장의 뒤를 바라봤다. 그 뒤에는 촌장의 친위대라고 일컬어지는 세 명의 인물이 호위하고 서 있었다.

원래는 그들도 다섯 명이었으나 반란을 일으킨 용병에 의해 두 명은 죽고 세 명만 남은 것이다. 그리고 그 셋과 촌장은 한곳에 감금시켰다.

"그래, 무슨 일로 왔나."

"테오필로가 배신했다."

"그렇겠지."

이미 짐작하고 있었다는 듯이 답을 하는 노회한 촌장이었다. 하지만 그의 얼굴에는 어떤 감정도 드러나지 않고 있어서 도대체 어떤 생각을 하고 있는지 궁금할 정도였다.

"남쪽만 열고 삼면을 감싸고 있다."

"완전히 갇혔군."

"살아야 하지 않겠나?"

"……."

부촌장의 말에 차를 마시다 말고 말없이 그를 뚫어지게 바라보는 촌장.

"그래서?"

"……."

"손을 빌려 달라?"

"그래."

"좀 우습지 않은가?"

"별로 우습지 않다. 살기 위해서라면, 권력을 쥐기 위해서라면 무엇이든 할 생각이니까."

"하긴 넌 원래 그랬었지."

"그래, 알고 있으니 다행이로군. 하겠나 말겠나?"

"싫다면?"

"그럼 가족들이 위험해지겠지."

"가족들이라… 결국 테오필로라는 놈과 다를 게 없군."

"……."

촌장의 신랄한 말에 부촌장은 별다른 말을 하지 않았다. 그리고 잠시 촌장을 쏘아보다 자리에서 일어섰다.

"막다른 골목이다. 이래도 죽고 저래도 죽는다면 다 같이 죽는 수밖에 없지."

한마디만을 남기고 돌아서는 부촌장과 그러는 그를 불러 세우는 촌장이었다.

"하겠다."

그에 몸을 멈추고 의미심장한 미소를 떠올리다 이내 차가운 얼굴이 되돌린 후 돌아서는 부촌장.

"넌 항상 그래. 너무 물러."

"그래, 난 너무 물러. 하지만 너보다는 내가 더 낫다고 생각한다."

"그건 모를 일이다. 내가 용병들을 자립할 수 있게 한다면 달라질 수도 있겠지."

"자립? 웃기는군. 그것이 그리 쉽게 될 것 같더냐?"

"어렵지. 어려우니까 네 대신 내가 한다는 말이다."

"사람의 마음을 얻지 못한다면 어떤 것도 얻을 수 없다는 것을 모르는 것이냐?"

"사람의 마음? 결국 강자에 약하고 약자에게 강한 것이 사람 마음 아니던가? 귀족들만이 선민사상이 있던가? 하다못해 시골 벽촌의 촌부도 선민사상이 있어 이종족을 깔보고, 외지인을 경멸하며 노예를 둔다. 그게 사람의 마음이다."

"그래서? 그래서 네가 만들고 싶은 용병은 대체 뭐냐?"

"난 용병들을 만들고 싶은 게 아니라 용병들이 날 위해 존재하게 하고 싶은 거다. 모르나? 내가 어떤 놈인지?"

"용병을 사유화 하겠다는 말이냐? 용병은… 자유인이다."

"누가 그러던가? 기사에게 밀리고, 부랑아 취급받으며 화살받이로 사용되는 용병들이 자유인이라고? 말도 안 되는 소리. 그래서 넌 안 된다는 거다. 용병은 그냥 용병인 것이다. 용병들의 대지니 혹은 자유인이니 하는 말은 말아라. 귀족들의 하수인이 용병이고, 화살받이가 바로 용병이다."

"네놈……."

"왜? 너무 현실과 같은 말이라서 화가 나는가? 분노하는가? 그러한 면에서 나는 토툰 마을의 용병들이 우든 마을의 용병들보다 훨씬 낫다고 본다. 그래도 그들은 자신의 감정에 충실하니까 말이다."

"우든 마을은 아니란 말인가?"

"가슴 속 깊숙하게 비수를 품고 있는 우든 마을의 용병들보다는 백배 낫다."

"그런……."

"각설하고 어쩔 텐가?"

"…하겠다고 했다."

그에 부촌장은 촌장을 향해 비웃음을 날렸다.

"그 정의로움에 경의를 표하마. 크큭!"

그리고 그는 자리를 벗어났다.

"진정 하실 생각이십니까?"

"하지 않으면?"

"하지만……."

"왜 저들이 날 찾아왔겠나?"

"그야 토튼 마을이 배신했기 때문이지 않겠습니까?"

"그렇지. 그런데 단순히 토튼 마을의 배신 때문일까?"

"그건……."

"토튼 마을의 배후에는 차우세스쿠 백작 가문이 있지. 그리고 차우세스쿠 백작 가문은 이오시프 스털린 후작과 긴밀한 관계를 가지고 있고, 이오시프 스털린 후작은 귀족파의 여러 자금줄 중 세 손가락 안에 드는 자금줄이지."

"그렇다면 이번 일에 귀족파가 끼어들었다는 말입니까?"

"아직은 아니겠지."

"허면……."

"최소한 차우세스쿠 백작의 세력은 참여했지 않겠나? 그는 평소 우리 우든 마을을 마음에 들어 하지 않았으니까 말이야. 기사나 병력을 직접 지원했을 수도 있고, 아니며 제국의 남부 지방이나 타국의 용병단을 고용했을 수도 있고 말이지."

"끄응. 그렇다면 우리가 이길 수 있겠습니까?"

"우리가 아니지. 저들이지."

"죄송합니다. 저들이 이길 수 있겠습니까?"

“글쎄에… 그건 나도 잘 모르겠군. 그들도 생각이 있으니 나를 연금에서 풀고, 가족을 볼모로 삼아 우리를 끌어들이려는 것 아니겠나?”

“물론, 그렇기는 합니다만 정말 괜찮겠습니까?”

“뭐가 말인가?”

“저들은 도련님을 추적하고 있을 겁니다. 만약 사로잡힌다면 살려두지 않을 겁니다. 들리는 말에 의하면 알바트론과 앙숙이 되어버린 사일러스가 직접 추적조를 움직이고, 동시에 토툰 마을에서 일정 인원을 배분한 모양입니다.”

“잘… 해낼 걸세. 약한 아이가 아니니.”

“수에는 장사 없는 법입니다.”

“…….”

개리의 근심어린 말에 촌장은 말없이 입을 닫았다. 어쩌면 체바로가 살아남는 것은 그저 운일 수도 있을 것이다. 상당히 많은 수의 용병들을 대동하고 마을을 빠져나갔지만 워낙 창졸간에 일어난 반란인지라 제대로 장비조차 챙기지 못하고 탈출했다.

“어쩔 수 없지 않은가?”

“하나…….”

“일단 우든 마을을 살려야 하지 않겠나?”

“촌장님.”

"내 나이 벌써 60을 넘었네. 어떻게 해서든 지금의 상황을 반전시켜야 하지 않겠나? 내 권력을 위해서가 아니라 이 우든 마을의 용병들을 위해서 말이네."

"그건……."

"일단! 현 상황에 집중해야 하지 않겠나? 내가 살아야 뭐를 하든 할 테니까."

"알… 겠습니다."

촌장의 말에 개리와 셰인, 그리고 블랙은 인정하지 않을 수 없었다. 일단 현재 상황을 정리하는 것이 맞을 테니 말이다.

*　　　*　　　*

"공격하라아~"

"와아~"

"모두 쓸어버려라!"

"죽여라! 죽여!"

"막아! 막으란 말이다."

"우리 뒤에는 가족들이 있다. 죽기로 싸워라!"

"크아아악!"

"사, 살려……."

쩌걱!

아비규환!

딱 그 한마디로 지금의 모든 상황이 설명되었다.

빼앗으려는 자와 지키려는 자.

서로 물러설 수 없는 한판이었다.

그리고.

그 모습을 멀리서 지켜보고 있는 이들이 있었으니.

왼쪽 눈을 안대로 가려져 있고, 그 안에는 긴 검상을 입은 자와 심상찮은 기세를 풍기고 있는 몇 명의 인물들이었다.

"저항이 만만치 않군."

"이미 달아날 곳이 없다는 것은 그들이 더 잘 알고 있을 겁니다."

"남쪽을 터 줬는데도 말인가?"

"대가리에 돌만 들은 놈들이 아니라면 남쪽에 누가 있는지 알고 있을 겁니다. 그리고 그들이 이번에 참여하고 있다는 것도요. 아무리 티를 내지 않으려 한다고 하지만 그게 어디 쉽습니까? 더군다나 차우세스쿠 백작은 자신의 공이라면 작은 것도 크게 만드는데 일가견이 있는 사람입니다만."

"그렇긴 하군. 어쨌든……."

말을 흐리면서 여전히 전방에서 시선을 떼지 않는 토툰 마을의 촌장 테오필로 로하스였다. 그의 옆에는 부촌장인 루이스 가라비토가 있었고, 그들을 호위하는 호위대장과 호위대 1천명,

그리고 그 외 몇 천의 용병들이 늘어서 있었다.

그런데 중요한 것은 그들은 복색이 하나같이 통일되어 있다는 것이었다. 그도 그럴 것이 그들은 이름과 성을 가지고 있었다. 결코 그저 평범한 일반인이 아니라는 것을 의미했다. 멸문한 귀족도 아닐 것이다.

멸문한 귀족은 보통 자신의 신분을 속이기 위해 성을 지우고 이름도 바꾼다. 그런데 그들은 자신의 이름과 성을 너무나도 자연스럽게 사용하고 있다는 것이다. 감출 생각조차 하지 않고 말이다.

물론, 이들의 성을 알고 있는 자들은 극히 일부였다. 촌장의 측근 중의 측근이라 할 수 있는 친위대장이나 토툰 마을을 실질적으로 움직이는 여덟 명의 용병대장 정도만 알고 있을 뿐이었다.

"드디어 저놈들을 쳐내는군."

"그렇습니다. 실로 오랫동안 이어져 온 꿈이 실현되는군요."

"겨우 이 정도로 꿈의 실현을 들먹이면 곤란하지. 내 꿈은 이 땅에서 저급한 용병들을 사라지게 만드는 거다."

"물론 그러시겠습니다만 그렇게 되면 아쉬워할 사람은 많습니다. 아시겠지만 입술이 없으면 이가 시린 법입니다."

강력한 적대감을 가지고 전방의 전투를 지켜보는 테오필로 로하스를 달래는 부촌장 루이스 가라비토였다. 그에 테오필로 로하스의 눈에서는 일순간 강렬한 검은 기운이 모습을 드러냈다가 언제 그랬냐는 듯이 잠잠해졌다.

"그… 렇군. 내가 잠시 망각했군."

그에 만족한 듯 섬뜩한 웃음을 짓는 루이스 가라비토. 그러다 문득 그는 미소를 지우고 뒤를 돌아본 후 누군가에게 눈짓을 보냈다. 그의 눈짓을 받은 용병이 조심스럽게 움직이기 시작했다.

"보냈나?"

"끝장을 내야 하지 않겠습니까?"

"모두 쓸어. 나에게는 목만 가져 오면 돼."

"여부가 있겠습니까?"

그들이 보는 전장은 처음 얼마 정도는 팽팽하게 유지되고 있었다. 아니 어쩌면 조금씩 밀릴 정도라고 할 정도였다. 그럴 수밖에 없는 것이 그들은 가족이 있기 때문에 필사적으로 싸울 수밖에 없었다.

같은 용병이라고 하지만 토툰 마을의 용병들은 이미 동종업계의 용병이라고 볼 수 없을 정도로 잔학한 놈들이었기 때문이었다. 하지만 아무리 그렇다고 해도 우든 마을의 용병들은 가족이 있었다.

가족을 지키기 위해 필사적으로 싸웠다. 하지만 토툰 마을 용병들의 파상적인 공세에 점점 지쳐가기 시작했다. 수에는 장사 없다는 것을 그대로 보여주는 듯했다. 그리고 토툰 마을의 용병들의 무장은 우든 마을의 용병들과는 비교조차 되지 않을 정도로 충실했다.

그 결과는 정해져 있었다.

처음 약간의 우세를 점하던 우든 마을의 용병들이 점차 밀리기 시작했다. 수적으로도 우세하고 장비로도 우세하다. 거기에 끊임없이 밀려드는 토툰 마을의 용병들. 기세에서도 지고 모든 면에서 밀리고 있었다.

"막아! 막으란 말이다!"

"크흐흐. 이제 끝내자. 이 더러운 양아치 새끼들아."

"지랄!"

"아아악! 죽어! 이 싯팔 새끼들아!"

"너나 죽어라!"

악다구니가 여기저기에서 울려 퍼졌다.

퍼걱!

누군가 철퇴에 맞아 허연 뇌수와 함께 죽어 나자빠졌다. 하지만 용병을 죽인 용병은 아무런 시선조차 주지 않고 다음 먹잇감을 찾아 이동했다. 그의 눈동자는 이미 벌겋게 물들어 있었고, 입에는 알 수 없는 살소가 머금어져 있었다.

그냥 사람 죽이는 게 좋았다. 이 피비린내가 좋았고, 자신을 보고 벌벌 떠는 인간 군상들을 바라보는 것에 쾌감을 느꼈다. 조금 더 필요했다. 그는 벌게진 눈으로 다음 목표물을 찾았다. 그뿐만 아니었다.

토튼 마을의 용병들은 마치 붉어진 눈으로 먹잇감을 찾는 몬스터처럼 우든 마을의 용병들을 찾아내고 있었다.

그들은 살육을 자행했다.

싸울 의지를 잃고 살려달라고 애원하는 우든 마을의 용병들을 보면 쾌감을 느꼈고, 그들에게 잔인한 미소를 떠올리며 그들의 팔과 다리를 끊고 기어서 도망가는 그들의 척추를 잘라냈다. 그러면서 웃었다.

그때 그들 속에서 서로를 마주보고 있는 자들이 있었다.

"이쯤에서 나섭시다."

"그래야 되겠군."

둘은 마주보고 웃다가 뒤를 슬쩍 바라봤다. 준비를 하고 있었다는 듯이 그들 역시 준비를 하고 있는 것처럼 보였다. 이들은 아직 전투에 참여하지 않고 있었다. 아마도 명령을 받고 알게 모르게 토튼 마을의 용병들 속에 숨어들어 있던 대부분의 용병들 역시 마찬가지일 것이다.

"조금 더 늦췄다가는 큰형님한테 소리 좀 듣겠수."

"그래서는 안 되지. 바로 진입해서 적 후방을 치고 들어간다."

"본대는?"

"그야 마스터께서 알아서 하시겠지."

"하긴 뭐 거기까지 우리가 신경 쓸 필요는 없겠지."

"가자고!"

"달려!"

브라이언과 제라르의 명이 떨어졌다.

이래나 저래나 그들의 명이 떨어지기를 기다렸던 용병들이 움직이기 시작했다. 그들은 소리를 지르지 않았다. 소리나 함성 따위는 전투에 전혀 도움이 되지 않는다. 그저 보기에도 이것은 일방적인 도륙이 될 터이니까.

그 가장 선두에 제라르가 있었다.

거대한 두 자루의 양손대검을 마치 한손 검처럼 다루는 그의 공격.

콰콰콰콰콰아~

양쪽 팔과 대검의 길이만큼 좌우로 길이 만들어졌다. 또한 그 혼자만이 아니었다. 수천의 용병들이 일제히 토툰 마을의 용병들과 차우세스쿠 백작 가문의 기사들을 공격해 들어가기 시작했다.

"조, 조심해!"

"뒤, 뒤다!"

"누구냐!"

"헉! 너는?"

"미안. 나는 토툰 마을의 개새끼들이 아니라서 말이야."

"보기 역겨웠다고."

"크아악!"

"모두 지워 버려!"

"포로 따위는 필요 없다. 토툰 마을의 모든 용병들을 제거한다."

"와아~ 죽여라!"

전장은 다시 한 번 격전 속으로 휘말려 들어가기 시작했다.

"힘을 내라! 아군이다."

"우와아아~"

다시 치열한 전투가 시작되었다.

"저들은?"

"……."

테오필로 촌장이 놀라 외쳤다.

그에 루이스 부촌장 역시 별다른 말을 할 수 없었다. 예상할 수 없었기 때문이었다. 저들에 대한 어떠한 정보도 없었으니 당연할 수밖에 없었다.

"저들은……."

"대체 누구냔 말이다."

"그것이……."

"부촌장이 모르는 것도 있는 모양이구만. 허면……."

잠시 말을 끊어낸 촌장.

그가 다시 입을 열었다.

“저들의 뒤통수를 우리가 친다.”

“그건…….”

“아니면 해결 방법이 있나?”

“어려울 것 같습니다.”

“어렵다니 그게 무슨 말인가?”

“…….”

하지만 부촌장은 촌장의 물음에 아무런 답도 없이 정면만 응시하고 있었다. 그에 촌장도 부촌장의 시선을 따라 움직였고, 말없이 눈동자가 커졌다.

“네놈들은…….”

“누굴까?”

나직한 음성이 들려왔다. 하지만 더 놀라운 것은 묻는 자의 목소리가 아니라 그의 옆에 그림자가 같이 서 있는 2미터가 넘어가는 거대한 체구를 지닌 자 때문이었다.

“오… 크.”

“네놈은…….”

촌장과 부촌장의 놀람이 달랐고 튀어나온 말이 달랐다. 촌장은 그런 부촌장의 태도조차 알아차릴 수 없을 정도로 놀라고 있었다.

"어떻게……."

그런 그들의 반응을 재미있게 지켜보는 이들.

그들은 바로 아론과 카툼이었다.

카툼은 아예 마법 면구를 착용하지도 않고 오크 본연의 모습을 그대로 드러낸 상태였다. 그래서 촌장은 놀라고 있었다. 오크와 함께 모습을 드러낸 인간은 처음 보기 때문이었다. 하지만 부촌장의 놀람은 또 달랐다.

뭔가 오크에 대해서 잘 아는 것 같은 느낌이 들었다. 아론은 그것을 놓치지 않았다.

"알고 있나?"

"무슨 말인가?"

아론의 질문에 부촌장이 답을 했다.

"너. 뭔가 알고 있군."

"무… 슨 말인가?"

오히려 반문하는 부촌장. 그에 촌장의 시선이 부촌장에게로 향했다.

"아는 게… 있나?"

"무슨……."

"나에게도 숨길 참인가?"

"도대체 뭐를 말입니까?"

"저 오크. 그리고 저자."

"오크는 모르겠고, 저자라면 짐작 가는 바가 있습니다."
"누군가?"
"임페리움 용병대의 대장으로 알고 있습니다."
"난 왜 들은 적이 없지?"
"촌장에게 알릴 정도로 대단한 인물도 아니고, 그리 대단찮은 용병대였기 때문에……."
"그게 말이 되나? 지금 저기 저 전투가 안 보이나? 이들이 별로 대단치 않은 용병대라고? 3만이 넘어가는 인원을 가진 거대 용병대? 아니 용병단을 두고 그런 말이 나온단 말인가?"
불같이 화를 내는 촌장.
"그리고… 저놈들은 이종족까지 모두 포함되어 있는 것 같군. 거기에다 오크까지… 대체 왜?"
"저도 이 정도일 줄은 몰랐습니다."
"자네도 몰랐다고?"
"그렇습니다."
"다른 생각을 품은 것은 아니고?"
둘의 다툼을 흥미롭게 지켜보고 있는 아론과 카툼.
"일단 저들을 제거한 후에 마저 대화를 하는 것이 맞지 않겠습니까?"
불같이 화를 내는 촌장과 여전히 무표징한 얼굴과 무덤덤한 목소리로 입을 여는 부촌장. 그런 부촌장을 한참동안 뚫어지게 쏘아보던 그는 불만이 가득한 얼굴로 시선을 돌리고 불만 가득한 어조로 입을 열었다.

"죽여!"

"알겠습니다."

분노가 극에 달하면 침착해진다는 것을 몸소 보여주는 촌장의 모습이었다. 그의 눈동자는 이글이글 불타오르고 있었다. 토툰 마을을 구성하는 용병들 자체가 배신을 밥 먹듯이 하는 존재이니 어쩌면 당연한 결과라 할 수 있었다.

그래도 이들은 자신의 심복 중의 심복이라고 생각했다. 하지만 지금 이 순간 그의 뇌리를 가득 채운 것은 오로지 배신이라는 단 두 글자였다. 그리고 부촌장의 명령을 받은 1천의 호위대가 움직이기 시작했다.

호위대장과 부대장 네 명은 여전히 촌장을 그림자처럼 호위하고 있었다. 부촌장과 촌장과의 사이에는 여전히 벽이 존재하고 있었다. 아니 어쩌면 부촌장의 목숨이 더 위태롭다고 해도 과언이 아니었다.

여기 있는 이들은 촌장에게 충성을 바치는 자들이지 부촌장에게 충성을 바치는 자들이 아니었으니까 말이다. 그럼에도 불구하고 부촌장의 얼굴은 냉담하기 그지없었다. 그런 것에는 전혀 신경 쓰지 않는다는 듯이 말이다.

실제 그의 신경은 오로지 회색의 거체를 가지고 있는 오크에게 집중되어 있었다.

'회색 오크족의 전대 대족장인 카툼이 왜 이곳에?'

그것이 바로 부촌장의 머리 가득하게 채우고 있었다. 그는 알기로 전대 오크족의 족장인 카툼은 도망 다니다 결국 죽은 것으로 알고 있었다. 그런데 버젓이 이렇게 살아남아 있으니 놀라지 않을 수 없었던 것이다.

그리고.

"크와아아앙!"

오크들의 울부짖음이 들려왔다.

아무리 대단한 투툰 마을의 용병들이라고 할지라도 기본적인 전투력이나 신체 조건에 있어서 오크들 중에서 특출한 회색 오크들을 압도할 정도는 아니었다. 그리고 그가 보기에 회색 오크들의 대부분이 인간들로 치면 익스퍼트에 올라 있는 것처럼 보였다.

"크아아악!"

"사, 살려……."

"죽여! 죽이란 말이다!"

전투가 벌어졌다.

아니 그것은 전투가 아니었다.

일방적인 학살이었다.

겨우 1천 정도의 오크들이었다.

그런데 상대가 되지 않았다.

촌장은 자신을 호위하고 있는 다섯 명에게 눈짓을 했고, 다섯 명은 앞으로 달려 나가며 카툼이 있는 곳으로 향했다. 그들이 보기에 아론보다는 카툼이 더 무섭고 두려운 존재였으며, 어려울 수밖에 없는 존재였으니까.

그에 카툼은 날카로운 송곳니의 뿌리까지 드러내며 웃더니 배틀엑스 두 자루를 가볍게 부딪치며 다섯 명의 용병들을 맞아들였다.

배틀엑스 한 자루가 날았다.

그것을 막아내려던 용병 중 한 명이 무기와 함께 목이 절단되어 죽어갔다. 실로 눈 깜짝할 사이에 벌어진 일이라 할 수 있었다. 하지만 카툼의 공격은 거기에서 끝나지 않았다. 아니, 카툼에게는 이제 시작이었다.

어느새 부메랑처럼 돌아온 배틀엑스를 쥐고 풍차처럼 휘돌기 시작했고, 시작하자마자 한 명이 죽어가자 놀란 네 명의 용병들이 자신의 무기에 마나를 시전하면서 그를 향해 흉맹한 기세를 터뜨렸다.

하나, 이미 그들은 실력적인 면에서나 의지면에서나 카툼의 상대가 되지 않았다. 카툼을 향해 쇄도하던 수없이 많은 마나의 향연이 순식간에 사라지면서 무언가 날카로운 빛이 그들의 목을 할퀴고 지나갔다.

그에 네 명은 그대로 굳어진 채 입을 벌릴 수밖에 없었다.

그런 그들의 목에서는 가느다란 혈선이 그려졌다.

"알레엑~"

토툰 마을의 촌장이 울부짖었다.

자신이 가장 믿는 자.

자신에게 가장 충성을 바치던 자가 죽었다.

그에 그는 자신도 모르게 들고 있던 검을 꺼내들었다. 그때 부촌장이 말렸다.

"안 됩니다."

"왜? 왜!"

이미 촌장의 눈은 붉어져 있었다. 그에 부촌장은 돌이킬 수 없음을 알게 되어 그런 촌장에게로 한걸음 크게 내디딘 후 숨쉬는 소리가 들릴 정도로 가까이 달라붙었다.

"어차피 너도 죽을 테니까."

"뭐?"

부촌장의 말에 멍하게 그를 바라보며 입을 여는 촌장.

"이 일을 실패하면 너의 목숨도 끝난 것이다."

"가, 감히……."

"그래서 넌 여기서 죽는 거다."

"그… 컥!"

시퍼런 마나를 머금은 단검이 복부의 아래에서 위로 관통해 등 뒤로 삐죽 튀어나왔다. 촌장은 단 일격에 절명했다. 부촌장은 무표정하게 죽은 촌장을 밀어내고 전방을 바라봤다. 그가 바라보는 쪽에는 아론이 있었다.

"네놈인가?"

"날 알고 있나 보지?"

아론의 답에 부촌장의 눈동자가 변하기 시작했다.

"오랫동안 찾고 있었다."

"그렇군."

아론 역시 알 듯 모를 듯 미소를 떠올리고 있었다.

『용병들의 대지』 8권에 계속…